La France : les villes, les départements, les régions

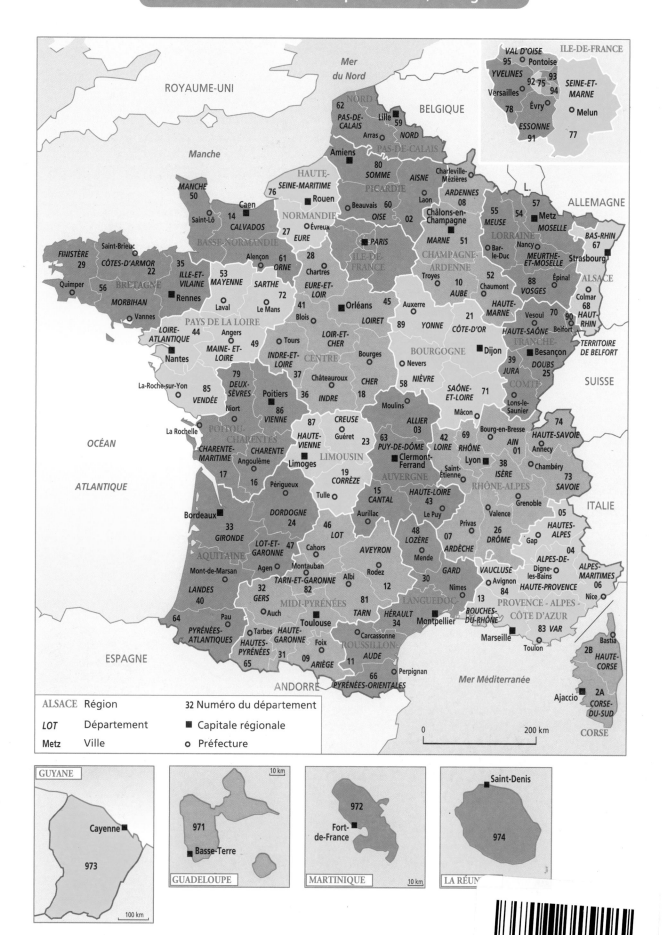

Odysséo

Découvrir le monde

en 64 enquêtes

CP-CE1

Ouvrage rédigé et coordonné par :

Martine Koné
Conseillère pédagogique Arts et Culture

Patrick Pommier
Formateur en SVT

Jean-Michel Rolando
Formateur en Physique

Avec les contributions de :

Sylvain Combaluzier
Conseiller pédagogique

Hervé Laly
Formateur en Histoire-Géographie

Jean-François Laslaz
Inspecteur de l'Éducation nationale

Marie-Laure Simonin
Formateur en SVT

MAGNARD

www.dlm.odysseo.magnard.fr

Les thèmes du programme

ESPACE

Représenter l'espace
pages 6 à 25

Pour déchiffrer l'espace, les hommes le représentent.

Comment décrire et dessiner le paysage ? ▶

◀ Comment lire et construire des plans et des cartes ?

ESPACE

Découvrir des mondes
pages 26 à 39

Partout où ils vivent, les hommes aménagent leur territoire.

Comment les hommes utilisent-ils l'espace, en ville, en bord de mer, en zone rurale ? ▶

◀ Comment les activités des hommes relient-elles les différents espaces entre eux ?

TEMPS

Ordonner le temps
pages 40 à 57

Les hommes ont besoin de repérer et de représenter le temps qui passe.

De secondes en siècles, comment emboîter et utiliser les différentes unités de temps ? ▶

 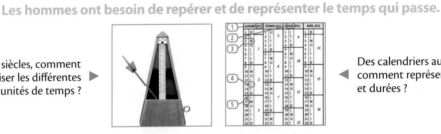

◀ Des calendriers aux frises, comment représenter dates et durées ?

TEMPS

Reconstruire le passé
pages 58 à 81

Pour se situer dans le présent et imaginer leur futur, les hommes explorent le passé.

Comment reconstruire le passé ? Que retenir ? ▶

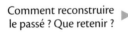  

◀ Comment étudier les personnages historiques ?

MATIÈRE

Découvrir la matière et ses transformations
pages 82 à 93

La matière ne peut pas être créée. Elle ne peut pas disparaître. Mais elle peut se transformer.

L'eau peut geler... Elle peut s'évaporer... Comment ces transformations se produisent-elles ? ▶

◀ Les autres matières peuvent-elles aussi être solides et liquides ?

2

Découvrir les circuits électriques

pages 94 à 107

OBJETS

Tous les jours, nous utilisons des objets ou des appareils qui fonctionnent grâce à l'électricité.

Comment brancher une ampoule, une sonnette ou un moteur sur une pile pour réaliser un circuit électrique ? ▶

◀ L'électricité peut être très dangereuse : commment s'en protéger ?

Découvrir son corps, l'hygiène et la sécurité

pages 108 à 129

VIVANT

Pour être en bonne santé, il faut respecter quelques règles d'hygiène.

Comment bien manger ? ▶

◀ Comment prendre soin de ses dents ? Comment rester en forme ?

Découvrir des caractéristiques du vivant

pages 130 à 145

VIVANT

Les animaux et les végétaux se nourrissent et se reproduisent.

Comment obtenir de nouvelles plantes ? ▶

◀ Comment les animaux se reproduisent-ils ? Que mangent-ils ?

Découvrir l'environnement

pages 146 à 159

VIVANT

Dans un milieu comme la forêt ou le jardin, il y a de nombreux êtres vivants.

Qui sont-ils ? Comment cohabitent-ils ? ▶

◀ L'eau est importante pour les êtres vivants : risque-t-elle de s'épuiser ? Faut-il faire attention à elle ?

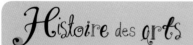

Les hommes ont inventé l'art et se racontent à travers lui.

Comment les artistes s'inscrivent-ils dans leur siècle ? ▶

◀ Pourquoi les œuvres d'art traversent-elles l'espace et le temps ?

Sommaire des enquêtes

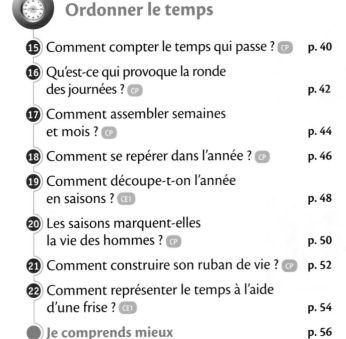

1. À quoi servent les images ?

Pendant les vacances, Antoine a visité une ville.

DOC. 1 Les rives d'un lac alpin.

DOC. 2 Dans la vieille ville, l'embarcadère.

DOC. 3 Antoine voudrait visiter le château.
Comment s'y rendre ?

DOC. 4 Antoine achète des souvenirs.

À ton avis...

● Quelle ville Antoine a-t-il visitée ?
Explique comment tu as trouvé.

- Observe les documents 3 et 4.
  Que fait Antoine ?

- Comment s'appellent les images
  que regarde Antoine ?
  À quoi servent-elles ?

- Regarde à nouveau tous les documents.
  Cherche ce qu'ils t'apprennent sur cette
  ville. Fais la liste de ce que tu as trouvé.

- Avais-tu repéré ce dessin (document 5) ?
  À quoi vois-tu qu'il représente la ville
  d'Annecy ?

DOC. 5   Le logo d'Annecy.

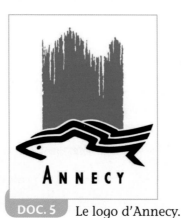

*C'est le **logo** de la ville :
une image très simple
qui sert à la représenter.*

Je fais le bilan...

- Imagine ce qu'Antoine a pu faire pendant
  ses vacances. Sur ton cahier, recopie les lettres
  des dessins et réponds par :

  Possible   Impossible

- Est-ce que tu sais tout sur cette ville ?
  À quoi t'ont servi ces images ?

- Trouve des images de ta ville ou de ton village :
  cartes postales, plans, logos, affiches,
  photographies. Regarde bien ce qu'elles racontent.

- Avec ces images, fabrique une affiche qui présente
  là où tu habites.

A

B

C

2. Que racontent les images ?

J'habite ici.

DOC. 1 La maison d'Antoine.

Et moi ici !

DOC. 2 L'immeuble dans lequel habite Safia.

Attention ! Sois précis en écrivant ton texte : quelqu'un qui n'a jamais vu la photographie doit pouvoir dessiner le paysage.

À ton avis...

- Où habite Antoine ? Où habite Safia ?
- Fais un petit texte qui explique où vit chaque enfant.

À toi de chercher...

DOC. 3 Vue générale du village où vivent Safia et Antoine.

- Regarde la photographie ci-dessus. Retrouves-tu la maison de Safia ? Et celle d'Antoine ?
- En regardant les documents 1 et 2, est-ce que tu avais deviné que Safia et Antoine étaient voisins ?
- Pourquoi est-ce que c'était difficile ? Fais la liste de tes idées.

- Sur la photographie 3, avec les équerres que te donne ton maître :
  1. retrouve le **cadre** choisi pour les documents 1 et 2 ;
  2. fais des **cadrages** qui racontent autre chose.

Cadrer, c'est délimiter la partie d'espace que l'on veut montrer.

- Photographie ce que tu vois autour de ton école en montrant des **points de vue** très différents.

Je fais le bilan...

- On dit qu'il ne faut pas croire tout ce que disent les images. Pourquoi ?

3. Comment dessiner ce que l'on voit ?

Antoine habite à Groisy, dans les Alpes.

J'ai voulu dessiner ce que je vois depuis mon école.

un sanglier

les montagnes

l'école

le réverbère

l'église

la route

une maison

la mairie

DOC. 1   Le dessin d'Antoine.

Pour aider les élèves à mieux voir le paysage, la maîtresse a pris une photographie et l'a retouchée (document 2).

Pour savoir ce que veut dire retoucher *cherche un autre mot qui est encadré dans la double page !*

DOC. 2   Au premier plan, le village de Groisy ; au second plan, les collines ; à l'arrière-plan, les montagnes.

Ensuite, en s'aidant de la photographie retouchée, Antoine a fait cette peinture (document 3).

À ton avis...

- Qu'est-ce qui ressemble le plus au paysage : le dessin ou la peinture ?

DOC. 3   La peinture d'Antoine.

À toi de chercher...

● Relève tout ce qu'Antoine a dessiné sur le document 1.
Écris ces mots sur des étiquettes (par exemple : les montagnes, le réverbère…).
Avec tes camarades, regroupez vos étiquettes sur deux affiches.

Antoine les voit depuis son école

les montagnes

*Antoine sait que ça existe
mais il ne le voit pas*

le réverbère

Je fais le bilan...

● Avais-tu déjà vu la photographie prise par la maîtresse ? Retrouve-la dans ton manuel.
Qu'a changé la maîtresse pour aider les enfants à mieux voir ?

● Sur des photographies de toutes sortes, entraîne-toi à trouver **les grandes lignes du paysage**.

1. Utilise de la pâte à modeler, des lacets, des feutres, etc.

2. Remplis les **surfaces** en montrant bien les différences entre les **zones**.
Change de couleurs, de matières, d'outils.

4. Que regarder autour de soi pour comprendre la vie des hommes ?

Si on te dit comment on vit, est-ce que tu peux trouver nos traces sur une photographie ?

À ton avis...

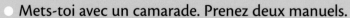

- Mets-toi avec un camarade. Prenez deux manuels.
  – Sur le premier manuel, lisez ensemble les textes ci-dessous écrits par les enfants.
  – Sur le deuxième manuel p. 9, observez la photographie du paysage dans lequel ils vivent.

- Sur la photographie, reconnaissez-vous les espaces dont parlent les enfants ?

J'habite une ferme près de l'école : mon papa est éleveur. Il a des vaches. Au printemps, elles broutent dans les prés du village. En été, elles vont en montagne dans les alpages. En automne, elles redescendent et restent dans les prés jusqu'à l'arrivée de la neige. En hiver, elles sont à l'étable : on leur donne le foin qu'on a ramassé dans les prés pendant l'été. Avec le lait des vaches, on fait des fromages.

Je viens d'arriver à Groisy. J'habite à côté de chez Antoine, dans un immeuble récent. Mon papa et ma maman travaillent en ville, à Annecy. Ils partent tous les matins par l'autoroute et rentrent tous les soirs. À l'école, je mange à la cantine. Je suis contente d'avoir déménagé. J'ai plus de place qu'avant pour jouer ! Et j'aime bien aller voir les vaches d'Antoine.

Au printemps

En été

En automne

En hiver

1 Les vaches d'Antoine.

● Dans le texte, cherche où sont les vaches à chaque saison. Écris le nom de ces espaces sur des Post-it. Place-les au bon endroit sous le nom des saisons (page de gauche).

● Sur le paysage p. 9, montre ces espaces. Pourquoi ne voit-on pas de vaches ?

2 Les trajets des parents de Safia.

● Voici plusieurs manières d'aller en ville. Sur ton cahier, dessine le circuit des parents de Safia. Aide-toi du texte et du dessin.

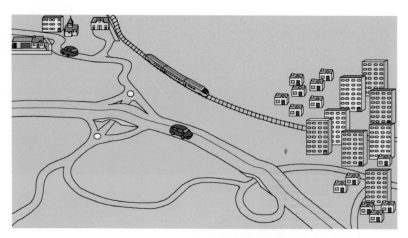

● Est-ce que l'on voit des routes sur la photographie p. 9 ? Quels indices nous montrent qu'il y en a ?

3 La vie des habitants de Groisy.

● Beaucoup de gens travaillent en ville et habitent à la campagne dans des immeubles ou des maisons. Sur les documents 1 et 2 p. 8, montre les habitations.

Je fais le bilan...

● Sur des étiquettes, écris tout ce que tu as regardé ou cherché pour comprendre la vie des habitants de Groisy. Écris un mot par étiquette.

● Regroupe ces mots sur trois affiches :

LE CADRE, L'HABITAT	LA VÉGÉTATION, LES CULTURES, L'ÉLEVAGE	LES MOYENS DE TRANSPORT, LES VOIES DE COMMUNICATION
Là ou vivent les hommes.	*Les animaux et les végétaux que les hommes utilisent.*	*Ce qui permet de transporter les hommes et les marchandises.*
la ferme la montagne	les prés	l'autoroute

● Sur trois nouvelles affiches, note ce que tu vois là où tu habites.

● Chez toi, est-ce que l'on vit comme à Groisy ? Quelles sont les ressemblances ? Quelles sont les différences ?

5. Que disent les maisons dans le paysage ?

Bachar

Kari

Yoko

DOC. 1   Une ferme en Islande.

DOC. 2   Au Maroc, une oasis au bord du Todra.

DOC. 3   Nagoya : une grande ville au Japon.

À ton avis...

- Si Yoko, Kari et Bachar te montrent où ils habitent, peux-tu trouver comment ils vivent ?

- Donne à chaque enfant son paysage. Explique comment tu as fait pour trouver. Vérifie tes réponses sur le planisphère p. 17.

● Choisis un des trois paysages.

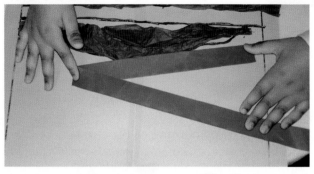

1. Sur un transparent, dessine les grandes lignes du paysage. N'oublie pas le cadre !

2. Sur une photocopie agrandie, reconstitue ce paysage. Utilise :
   – du papier journal pour les maisons ;
   – du papier de soie pour la végétation ;
   – du ruban pour les routes.

Je fais le bilan...

● Compare ton paysage avec celui de tes camarades.
  Sur ton cahier, écris les phrases qui conviennent en utilisant les groupes de mots suivants :

Chez Kari,   la végétation   tient très peu de place.

Chez Bachar,   longe la rivière.

Chez Yoko,   occupe presque toute la place.

● Recommence en remplaçant la végétation par les maisons. Que remarques-tu ?

une cour pour les hommes   des animaux dans une cour

● Regarde bien la maison de Bachar. Elle nous donne des indices sur sa vie. Explique ces indices en utilisant des éléments du paysage (document 2).

des toits plats

des petites fenêtres

● Fais le même travail pour Yoko et Kari et pour ta maison.

DOC. 4   La maison de Bachar.

● ● ▶ Je comprends mieux... p. 24

6. Comment représenter la Terre ?

Antoine sait que la Terre est ronde car c'est une planète.
Il l'a représentée comme ça (document 1) :

DOC. 1 La Terre vue par Antoine.

DOC. 2 Un satellite.

À ton avis...

● Qu'a dessiné Antoine autour de la Terre ?

● Saurais-tu nommer précisément ce qu'il a voulu représenter en A et B ?

À toi de chercher...

1 Pour photographier la Terre, les hommes envoient des satellites dans l'espace (document 2).
À partir des images satellites (document 3) les hommes représentent notre planète, en volume ou à plat (documents 4 et 5).

● Comment appelle-t-on une représentation de la Terre en volume ? À plat ?

● Les documents 3, 4 et 5 montrent-ils exactement la même chose ? Pourquoi ?

2 Les planisphères et les globes peuvent donner des informations différentes.

● En classe, cherche d'autres représentations de la Terre et indique ce qu'elles montrent.

DOC. 3 Image satellite de la Terre.

DOC. 4 Un globe, représentant les continents et les océans de la Terre en volume.

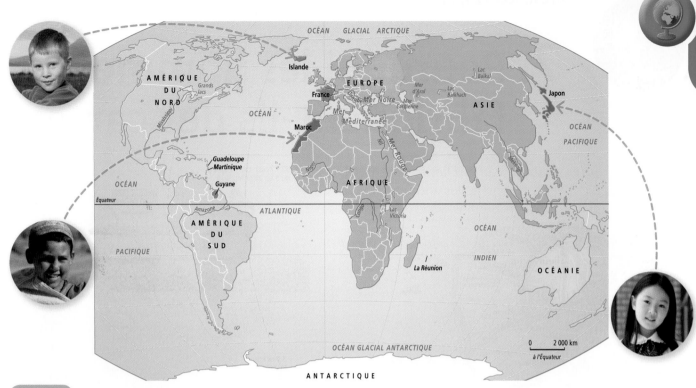

DOC. 5 Un planisphère, représentant les continents et les océans de la Terre à plat.

3 ● Tu vas reconstituer la Terre. Il te faut :

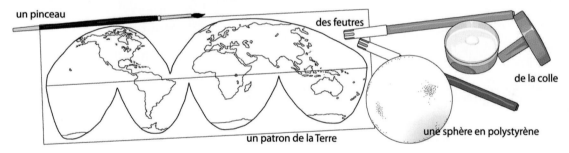

un pinceau

des feutres

de la colle

un patron de la Terre

une sphère en polystyrène

● Retrouve les six continents et trois grands océans. Colorie-les et nomme-les (document 6).

● Découpe le planisphère le long des pointillés et colle-le sur la boule (document 7).

DOC. 6 Chaque continent a sa couleur.

DOC. 7 On colle d'abord l'équateur. On termine par les pôles.

Je fais le bilan...

● Entre quels continents sont situés le Pacifique, l'Atlantique, l'océan Indien ?

7. Pourquoi les hommes fabriquent-ils des cartes ?

Il existe toutes sortes de cartes. Elles représentent la Terre en entier ou en partie. Les adultes les consultent selon leurs besoins. Voici des exemples :

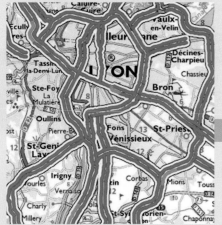

DOC. 1

Pour éviter les bouchons, les automobilistes regardent « ViaMichelin ».

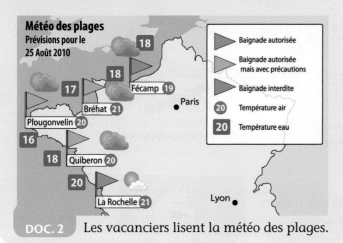

DOC. 2 Les vacanciers lisent la météo des plages.

DOC. 3 Les supporters suivent les étapes du Tour de France.

À ton avis...

- Quelles informations donnent les cartes des documents 1, 2 et 3 ? Qu'as-tu regardé pour trouver ?

À toi de chercher...

1 **Ces cartes ne couvrent pas le même espace.**

- Laquelle représente un pays ? Une partie d'un pays ? Une ville ?
- En réalité, quel espace est le plus petit ? Le plus grand ?
- Sur la carte du document 3, montre la zone couverte par la carte du document 2. Localise la ville de Lyon.

Pour comprendre les informations données par les cartes, il faut apprendre à les lire.

Tu vas découvrir ta région en consultant des cartes. Pour choisir les cartes utiles, regarde bien leur titre en haut de page !

2 Où se situe ta région en France ?

Pour le savoir, regarde la carte des régions au début de ton manuel.

- Repère ta région sur la carte, en cherchant son nom parmi les mots écrits en majuscules rouges.
- Utilise la légende pour trouver comment s'appelle la ville qui la commande.
- Pose un transparent sur ton livre. Décalque la France et ta région avec un feutre pour ardoise (document 4).
- Sur la photocopie de ce fond de carte, écris des informations utiles pour situer ta région (nom d'une mer, d'un océan, des régions ou de pays voisins, etc.).

DOC. 4 Le Languedoc-Roussillon, en France.

3 Quels paysages trouve-t-on dans ta région ?

Pour le savoir, observe la carte du relief au début de ton manuel.

- Regarde la légende.

Chaque petit rectangle de couleur représente une forme de paysage.

- Reproduis ces rectangles et découpe-les.
- Pose chacun d'eux sur le dessin qui lui correspond.

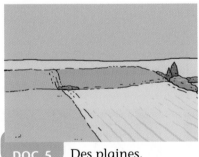

DOC. 5 Des plaines.

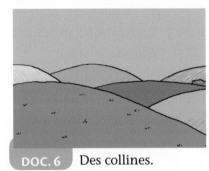

DOC. 6 Des collines.

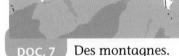

DOC. 7 Des montagnes.

- Pose le transparent que tu as utilisé à l'exercice 2 sur la carte du relief.
  - Nomme les formes de paysage que l'on trouve dans ta région (plaines, montagnes, collines).
  - Y a-t-il un fleuve qui la traverse ?

Je fais le bilan...

- Cherche des photographies de paysages de ta région illustrant les informations que tu as trouvées sur les cartes.

● ● ● ▶ Je comprends mieux... p. 24

8. Comment situer où l'on vit ?

Tu sais déjà beaucoup de choses sur l'espace qui t'entoure, proche ou lointain.

À ton avis...

- Dessine ta maison, ta rue, ton école comme tu les vois.

- Sur ton cahier, explique où tu vis :
  – sur quelle planète ;
  – sur quel continent ;
  – dans quel pays, quelle région ;
  – dans quel cadre (mer, montagne, plaine…).

DOC. 1 Dans une rue de Lourmarin, en Provence.

Quand on est dans la rue, on ne peut pas voir comment s'organise l'espace qui nous entoure.
Pour le savoir, il faut en « sortir », observer le paysage depuis un point élevé ou depuis le ciel.

À toi de chercher...

- Sur les pages 20 et 21, montre les photographies prises du ciel.
- Trouve les photographies de villes, celles de villages.
- Comment as-tu fait la différence ? Pour répondre, aide-toi des clés de lecture données à la fin de l'enquête 4 et de ce que tu as appris à l'enquête 5.

DOC. 2 Paris : sur la Seine, l'île de la Cité.

DOC. 3 Lyon : entre le Rhône et la Saône, la presqu'île.

DOC. 4 Marseille : le Vieux-Port.

1 Dans les villes, souvent bâties près de l'eau, les quartiers anciens forment le centre historique.

- Sur une photocopie du plan de ta ville ou de la ville la plus proche, colorie en bleu les points d'eau importants, en gris les voies de communication qui les suivent ou les traversent.
- Collecte des images des monuments remarquables du centre ancien. Situe-les sur le plan.

2 Les villes et les villages s'étendent petit à petit, à partir de leur centre ancien.

● Place un transparent sur le document 5 et représente le village en suivant la légende.

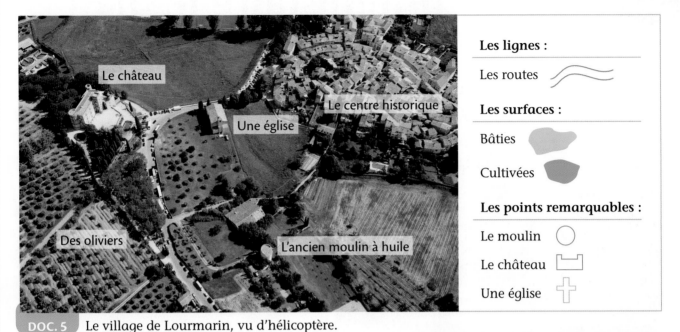

Les lignes :

Les routes

Les surfaces :

Bâties

Cultivées

Les points remarquables :

Le moulin ◯

Le château

Une église

DOC. 5 Le village de Lourmarin, vu d'hélicoptère.

Un lotissement

DOC. 6 Lourmarin, vue aérienne.

● Sur le document 6, montre le centre ancien. Retrouve le château et l'église.

3 Quand le centre ne peut plus accueillir de nouveaux logements, on en construit autour, sur d'anciennes surfaces cultivées, partagées en lots.

● Montre des éléments récents sur le document 6.

Je fais le bilan...

● Où est ton école ? Dans le centre ancien de ta ville, de ton village ? Ou autour, dans un quartier périphérique, plus récent ? Situe-la sur un plan du lieu où tu habites.

● ● ▶ Je comprends mieux... p. 24

9. Comment faire le plan de la classe ?

● Observe la classe d'Antoine :

DOC. 1 Depuis le tableau, la maîtresse a pris cette photographie.

DOC. 2 Depuis sa table, Antoine a pris cette photographie.

Pour se repérer dans un espace inconnu, il faut avoir un plan : c'est une image qui représente simplement les objets importants du lieu, à leur place, vus de dessus.

À ton avis...

● Essaie de retrouver la table d'Antoine sur le document 1.

● Est-ce possible ? Pourquoi ?

● La maîtresse et Antoine ont-ils le même point de vue sur la classe ?

À toi de chercher...

● Mets-toi avec trois camarades. Vous allez apprendre à faire le plan de la classe. Il vous faut une grande feuille, des feutres, des étiquettes et des solides.

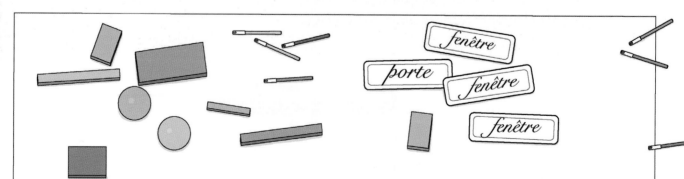

1. Observez votre classe. **Choisissez le** **mobilier** que vous allez représenter. Sur votre cahier, écrivez-en la liste exacte.

2. **Pour chaque** **meuble** **sélectionné, choisissez un solide.** Voici des exemples :

DOC. 3 Pour la table ronde, un cylindre.

DOC. 4 Pour l'armoire, un pavé.

3. **Prenez une grande feuille :** elle représente le sol de la classe. Les bords de la feuille sont les murs de la classe.

→ Montrez où sont les portes.

→ Montrez où sont les fenêtres.

→ Collez les étiquettes « porte » et « fenêtre » aux bons endroits.

4. **Sur la feuille, disposez les solides représentant le mobilier de la classe. Tracez leur contour** avec un gros feutre, puis enlevez-les. Votre plan est fait !

5. **Fabriquez la légende.** Elle indiquera ce que veulent dire les figures géométriques que vous avez tracées, par exemple :

La légende du plan

La légende du plan sert à **comprendre ce qui est représenté** :

○ *table ronde* □ *bureau* ▯▯▯▯▯ *radiateur*

Je fais le bilan...

● Sur ton cahier, réalise le plan de ta classe, en symbolisant le mobilier à l'aide de formes planes, dessinées ou collées.

Je comprends mieux... p. 24

Je comprends mieux...

J'ai appris que...

Retrouve l'enquête qui traite de chaque sujet.

2 Les images ne représentent qu'une partie d'espace. Elles ne disent pas tout.

1 Les hommes fabriquent toutes sortes d'images de la **Terre**.
- Retrouve plusieurs sortes d'images de la **Terre** dans ton livre.

Tu peux comprendre comment vivent les hommes en t'aidant d'images ! Mais il faut apprendre à les lire.

J'ai appris à...

Lire une photographie de paysage.

➡ Je **cherche** ce que montre la photographie
– Je **regarde** : le **titre** et la **légende** qui l'accompagnent, une **carte** qui indique où se trouve le paysage.

- Retrouve ces photographies dans ton livre. Explique ce qu'elles montrent après avoir cherché les informations utiles.

➡ Dans la photographie, je relève des indices de la vie des hommes.
– Je « **découpe** » le paysage en grandes zones pour être sûr de tout observer.
– Je **repère** les éléments importants.

➡ J'**explique** ce que j'ai observé :
– en utilisant toutes les informations de la photographie ;
– en observant d'autres documents, des cartes par exemple.

- À la fin de l'enquête 4, retrouve les informations qu'il faut chercher pour lire un paysage.

3 Les hommes dessinent la planète Terre :

– en volume, sur des **globes** ;

– à plat, sur des **planisphères**.

● Retrouve un planisphère et un globe dans ton livre.

---

4 Les grandes étendues de terre où vivent les hommes sont les **continents**.

● Montre et nomme les six continents et les cinq océans de la Terre.

5 Les vastes étendues d'eau salée qui couvrent une grande partie de la planète sont les **océans**.

J'ai appris à...

Trouver des informations sur une carte ou un plan.

Avant d'observer la carte, je cherche de quoi elle parle :

– je lis son titre ;

– j'identifie l'espace qui est représenté.

Est-ce la Terre en entier ? Est-ce une partie de la Terre ? Un continent, un pays, une région, un département, une ville, un quartier ?

Observer la légende pour comprendre ce que veulent dire les symboles utilisés.

– Je sais lire la carte quand je peux expliquer ce que je vois : mots écrits, points, lignes, couleurs.

● Retrouve la carte des régions, des départements et des villes de France dans ton livre. Montre la région où tu habites et sa capitale. Cite ses départements.

● Sur la carte du relief de la France, trouve les zones de montagne et cite-les ; trouve les zones de plaine et cite-les. Nomme les fleuves et suis leur cours avec ton doigt. Où prennent-ils leur source ?

Fabriquer un plan en plusieurs étapes.

– Je m'interroge : que vais-je montrer ?

– Je délimite l'espace que je veux représenter.

– Je choisis des points de repère utiles et les codes pour les représenter.

– Je fabrique une légende.

● Fabrique le plan de ton école.

10. Comment s'organise la vie dans les écoles ?

1 En France, il y a des écoles partout, mais des écoles très différentes.

DOC. 1 Une école ancienne.

DOC. 2 Une école récente.

DOC. 3 Une immense école à plusieurs classes dans une ville.

DOC. 4 Une petite école de village à classe unique.

À ton avis...

- Est-ce que l'une de ces écoles te fait penser à la tienne ? Explique en quoi.

- À quoi sert l'école ? Qui va à l'école ?

- Connais-tu des endroits où certains enfants ne vont pas à l'école ? Pour quelles raisons ?

En France, depuis quand tous les enfants ont-ils le droit d'étudier ?

Cherche la réponse dans ton manuel, à l'enquête 32.

À toi de chercher...

2 Aux côtés des enseignants, beaucoup d'adultes travaillent à l'école.
Ils ont des métiers différents, mais tous aident les élèves à réussir.

● Observe les documents 5 à 8. Qui sont ces personnes ? Que font-elles à l'école ?
Échange tes idées avec tes camarades.

DOC. 5   Une dame de la cantine.

DOC. 6   Le personnel de service.

DOC. 7   Un éducateur sportif.

DOC. 8   L'auxiliaire de vie scolaire.

● Trouve les adultes de ton école. Photographie-les et pose-leur des questions sur leur métier. À chaque fois, écris une phrase dans ton cahier, pour résumer ce que tu as appris.

3 Il y a de nombreux espaces à l'école. Ils ne servent pas tous à la même chose !

● Avec tes camarades, listez les endroits de l'école qui accueillent des élèves.

● Photographiez-les et classez-les en trois grandes catégories.

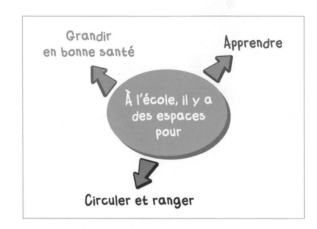

Grandir en bonne santé   Apprendre

À l'école, il y a des espaces pour

Circuler et ranger

Je fais le bilan...

● Fabriquez des affiches pour présenter votre école.

● Écrivez bien les règles de vie de chaque espace.

● Présentez tous les adultes travaillant à l'école et indiquez leur rôle.

11. Que font les hommes en bord de mer ?

1 Beaucoup de personnes vivent en bord de mer.

Léa, Yann et Agathe habitent le littoral.

DOC. 1 Au premier plan, la plage et le port de plaisance du Havre en Normandie. Au second plan, le port de commerce.

DOC. 3 La plage de Saint-Raphaël sur la Côte d'Azur.

DOC. 2 Le port de pêche de Ploumanach en Bretagne.

À ton avis...

- Est-ce que ces enfants habitent au même endroit ?
- Quel est leur point commun ?

À toi de chercher...

- Sur ton cahier, écris où habite chaque enfant.
  Exemple : Yann habite au bord de la Manche.
- En France, peut-on habiter au bord
  d'une autre mer ?

*Pour répondre,
regarde bien :*
*– la légende de chaque
  photographie ;*
*– les cartes de France
  au début du manuel.*

2 La mer fait vivre les hommes.

- Pour trouver ce que font les hommes
  en bord de mer, regarde à nouveau
  les documents 1, 2 et 3.

  1. Lis bien chaque légende.

  2. Observe la ligne qui sépare la mer de
     la terre. Dès que tu trouves une idée
     de métier, note-la sur une étiquette.

- Observe les documents 4, 5 et 6 et complète
  ta liste (écris un métier par étiquette).

DOC. 4 Sur le chantier naval, les ouvriers
réparent un cargo.

DOC. 5 Des clients mangent du poisson
dans un restaurant.

DOC. 6 Dans les marais salants, le paludier
récolte le sel.

Je fais le bilan...

- Avec tes camarades, fabriquez trois affiches.
  Répartissez les noms de métiers que vous avez trouvés sur ces trois affiches :

En bord de mer

| Les hommes accueillent des personnes. | Les hommes reçoivent, conservent et renvoient des marchandises. | Les hommes exploitent et transforment les produits de la mer. |

12. À quoi sert la ville ?

La ville rend beaucoup de services.

À ton avis...

● À quoi sert la ville ? Écris tes idées sur ton cahier. Pour répondre, pense à ce que tu fais en ville ou à ce que les personnes de ta famille vont faire en ville.

patinoire

lycée

bureaux

DOC. 1 La ville de Clermont-Ferrand.

DOC. 2 Un centre commercial à Lille.

DOC. 3 Un hôpital à Paris.

● Complète tes idées en t'aidant des documents 1, 2 et 3 et en discutant avec tes camarades.

À toi de chercher...

1 ● Sur ton cahier, recopie le nom de ces services et ce qu'ils veulent dire :

→ **Le commerce** on achète

→ **L'éducation** on apprend

→ **Les loisirs** on se détend

→ **La santé** on se soigne

● Quand c'est possible, classe les idées que tu avais trouvées dans ces quatre familles de service.

2 ● Dans quelle ville se trouve ce bâtiment (document 4) ? Pourquoi y a-t-il un drapeau dessus ? Que fait-on à l'intérieur ?

DOC. 4 À Paris, le président de la République habite à l'Élysée.

• Chaque pays a une capitale : une ville très importante où se trouvent ceux qui dirigent le pays. Paris est la capitale de la France.

• Le pays est partagé en territoires : les régions et les départements, qui ont chacun leur capitale.

Je fais le bilan...

● Observe ce dessin de ville. Essaie de trouver à quoi servent les bâtiments.

● Décalque le contour des bâtiments. Colorie-les selon les indications de la légende.

● Sur la carte de France au début de ton manuel, retrouve les villes importantes de ta région et de ton département.

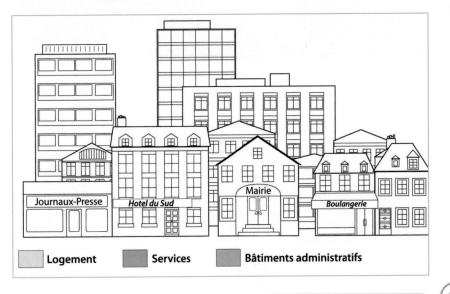

Journaux-Presse   Hotel du Sud   Mairie   Boulangerie

☐ **Logement**   ☐ **Services**   ☐ **Bâtiments administratifs**

13. Comment utilise-t-on les terres en zone rurale ?

Thomas et Aurélie vivent en zone rurale . Leurs pères sont agriculteurs.
Chez eux, une grande partie des terres est utilisée pour cultiver des plantes ou élever des animaux.

DOC. 1   En Alsace, un village sur la route des vins.

Thomas

DOC. 2   Prairies d'élevage dans le Morvan.

Aurélie

À ton avis...

Trouve où habitent ces enfants sur la carte des régions agricoles en fin de manuel.

- Est-ce que les pères de Thomas et Aurélie font le même métier ?

- Sur ton cahier, dessine ce que tu manges et qui vient de leur travail.

- N'y a-t-il que les agriculteurs qui vivent à la campagne ? Aide-toi de l'enquête 4 pour répondre.

1 Les produits de l'agriculture sont très variés.

Les produits d'origine animale viennent de l'élevage		Les produits d'origine végétale viennent des cultures	
Bovins :	Ovins et caprins :	Céréales : maïs	Oléagineux (plantes cultivées pour faire de l'huile) :
Porcs :	Volailles :	Fruits et légumes :	colza tournesol

- Copie ce tableau sur ton cahier. Complète-le en dessinant d'autres produits de l'agriculture.
- Regarde la carte de l'agriculture et sa légende à la fin du manuel : comment sont représentées les régions d'élevage ? Les régions où l'on cultive les céréales et les oléagineux ?
- Que cultive-t-on dans ta région ?

2 Selon ce qu'ils produisent, les agriculteurs utilisent les terres différemment.

- Trouve les caractéristiques de chaque paysage en les fabriquant.
  1. Prépare ton matériel.
  2. Reproduis les paysages des documents 1 et 2.

  Utilise du papier de soie pour les arbres.

DOC. 2

des serviettes en papier pour les champs

des cubes pour les maisons

du ruban pour les voies de communication

À chaque fois, suis bien le guide de fabrication :

Pour faire :	les terres	les voies de communication	les maisons
Regarde bien :	– leur taille – leur forme – leur couleur – leurs limites	– leur nombre – à quoi elles servent – leur forme et là où elles passent	– leur nombre – leur place – leur disposition

Je fais le bilan...

- Décris les paysages en montrant bien leurs différences. Explique-les.

Je comprends mieux... p. 38

14. Entre la campagne et la ville, que deviennent les produits agricoles ?

1 Les produits agricoles voyagent et se transforment avant d'arriver dans ton assiette. Voici l'exemple des salades.

A

DOC. 1

B

En zone rurale, le maraîcher **produit** des salades en grande quantité puis il les **collecte**.

DOC. 2 À l'usine, des ouvrières **transforment** les salades. Ensuite, d'autres personnes les **emballent**.

Les ouvrières enlèvent ce qui ne se mange pas, puis elles lavent les salades.

DOC. 3 Enfin, les commerçants **distribuent** les salades aux consommateurs des villes.

À ton avis...

- Avant d'arriver dans les assiettes, quel a été le circuit de ces salades ? Reconstitue-le en écrivant et en rangeant les mots en orange sur des Post it.

- Toutes ces étapes sont-elles obligatoires ? Lesquelles peut-on supprimer ?

- Peut-on acheter des salades ailleurs qu'au supermarché et sous une autre forme que celle présentée sur le document 3 ?

À toi de chercher...

2 Entre la campagne et la ville, les produits sont transformés en plusieurs étapes.

● Retrouve ce que fait le père d'Antoine (enquête 4) et raconte comment se transforme ce qu'il produit, en cinq étapes, jusqu'à ton assiette.

DOC. 4 L'huile est mise en cuves, avant d'être filtrée.

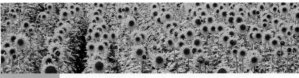

DOC. 5 Des milliers de « soleils » poussent dans les champs.

DOC. 6 L'huilier vérifie la qualité des graines livrées, avant de les presser.

● Observe les photographies ci-dessus.

● Comment s'appelle la plante du document 5 ? À quoi sert-elle ?

● Remets ces photographies en ordre.

● Sur ton cahier, dessine le produit venant de cette plante, au moment où on le distribuera en supermarché. (Il y a plusieurs solutions !)

3 À chaque étape, les produits sont transportés. C'est pourquoi tu vois beaucoup de camions sur les routes.

● Choisis l'un de ces camions et recopie-le sur ton cahier.

● Écris un titre indiquant ce qu'il transporte.

● Quand c'est possible, écris une phrase pour dire d'où vient le camion et où il va.

Je fais le bilan...

● De nombreuses personnes te permettent de manger ! Lesquelles travaillent en zone rurale ? Lesquelles travaillent en ville ? Lesquelles relient les villes aux champs ?

●● ▶ Je comprends mieux... **p. 38**

Ils **réinventent** le paysage

Voici des œuvres et des artistes.

● Ce qu'ils peignent, l'as-tu déjà vu ?

DOC. 1   *Des déchargeurs, sur le port d'Arles*, Van Gogh, 1885.

DOC. 2   *Des meules*, Monet, 1891.

DOC. 3   *La Montagne de la Sainte-Victoire*, Cézanne, 1895.

« ...Monet expose des "meules". Oui, rien que des meules de paille et de foin. Il y en a des roses, des vertes, des bleues, d'orange. Il y a la meule d'hiver, la meule de printemps, la meule d'été... Le tout absurde, fou, le genre de folie appliquée aux ciels, aux terrains, aux brindilles... »

DOC. 4   Jules Ferry. Lettre à sa femme, 1891.

Cours-y vite !

● Dans ton manuel, cherche des photographies qui te rappellent ces tableaux.

● Cherche les ressemblances et les différences entre les photographies et ces œuvres.

Attention ! Tu dois dire pourquoi tu les as choisies.

À toi de comprendre !

● À quelle époque vivaient ces artistes ? Il y plus de cent ans ? Il y a moins de cent ans ?

DOC. 5 Claude Monet (1840-1926).

DOC. 6 Vincent Van Gogh (1853-1890).

DOC. 7 Paul Cézanne (1839-1906).

● Recopie cette frise sur ton cahier et complète-la :

1884	1885	1886	1887	1888	1889	1890	1891	1892	1893	1894	1895

Le film photographique souple est inventé.　　　La tour Eiffel est en construction.

● Sur la frise, colorie les années où Monet, Van Gogh et Cézanne ont peint leurs tableaux.

● À cette époque, la photographie avait-elle déjà été inventée ?

● Qui est Jules Ferry ? Cherche dans ton manuel à l'enquête 32.

● À ton avis, pourquoi est-il étonné par ces œuvres ? Pense aux couleurs, aux formes, à la touche.

À toi de jouer !

La touche, c'est la manière d'appliquer la peinture sur le tableau. En observant bien les œuvres, retrouve les gestes que faisaient ces artistes pour peindre.

Monet, Van Gogh et Cézanne ne cherchent plus à représenter exactement le paysage. Ils peignent leurs impressions. On les appelle les impressionnistes. Ils ont inventé une autre manière de voir.

● Comme les impressionnistes, compose un paysage (aide-toi du mode d'emploi de l'enquête 3).

● Joue avec les couleurs de ta palette et la touche !

● Tu peux faire des séries !

Je comprends mieux...

J'ai appris que...

1 Les hommes vivent
dans des cadres différents.

Retrouve l'enquête
qui traite de
chaque sujet.

De nombreuses personnes
habitent les littoraux,
au contact de la terre et
de la mer.
En bord de mer, les hommes :
– **accueillent** les vacanciers ;
– **reçoivent** et **renvoient** des
   marchandises ;
– **prélèvent** et **transforment**
   les produits de la **mer**.

sur les littoraux

Huit Français sur dix vivent
en ville.
En ville, on trouve du **travail**,
des **logements** et
de nombreux **services**.
Les grandes villes
commandent leur territoire.

en ville

En zone rurale,
les agriculteurs **produisent**
de quoi nourrir les habitants
des villes.
Beaucoup de personnes
habitent des villages,
en zone rurale, mais
travaillent en ville.
La campagne **accueille**
aussi des vacanciers.

en zone rurale

J'ai appris à...

2 Décoder des informations nouvelles en utilisant ce que j'ai appris.

Je sais...	J'explique

• **Je sais que** les hommes du littoral exploitent les produits de la mer.
 	
• **Je sais trouver** ce que montre une photographie en regardant sa légende et une carte.
	→ Que font ces femmes ?
	   D'où viennent les poissons ?
	   Que vont-ils devenir ?
	
	En Bretagne : une conserverie de poissons.

Je sais...	J'explique

• **Je sais que :**
   – à la campagne, on **utilise la terre** pour **cultiver** des plantes ou **élever** des animaux ;
   – **dans chaque région,** on trouve des **villes importantes**. Ces villes **attirent** les gens des campagnes et des villes environnantes.
 	
• **Je sais lire une photographie de paysage.**
	Notre vin est très connu et la vigne occupe une grande place. Pourtant, il y a peu de vignerons. Beaucoup de gens habitent le village et travaillent en ville, à Colmar ou à Strasbourg.
	
	→ Qui parle ?
	   (Tu retrouveras cet enfant à l'enquête 13.)
	
	→ Explique comment tu as trouvé.

15. Comment compter le temps qui passe ?

La maîtresse a installé un parcours sportif. Safia et Amandine font la course.

> Top
>
> Un... deux... trois...
>
> six... sept... huit...
>
> ... douze !

DOC. 1 Le parcours de Safia.

Safia s'élance dans le parcours. À l'arrivée, les élèves ont compté jusqu'à 12.

> Top
>
> Un... deux... trois...
>
> six... sept... huit...
>
> ... Onze !

DOC. 2 Le parcours d'Amandine.

C'est le tour d'Amandine. À l'arrivée, les élèves ont compté jusqu'à 11.

À ton avis...

- Amandine pense qu'elle a gagné. Et toi, qu'en penses-tu ?

- La maîtresse n'est pas sûre que les enfants aient compté de la même manière la première et la deuxième fois. D'après toi, est-ce que Safia peut avoir gagné ?

À toi de chercher...

1 Les enfants de la classe ont besoin d'un instrument pour compter régulièrement le temps.

- Voici plusieurs idées. Réalise les expériences avec ton maître et compte en suivant le rythme des instruments. Peut-on les utiliser pour mesurer des durées ?

> TOP !
>
> Un
>
> Deux
>
> Trois
>
> Quatre

DOC. 3 Un pendule.

- Frappe dans les mains à la même cadence que ce pendule.

2 Voici des objets que tu connais. Ils servent à connaître l'heure mais aussi à mesurer des durées. Observe… Écoute… Tous ces instruments permettent de compter régulièrement.

Un métronome.

Une montre.

Un réveil.

Frappe des mains au même rythme que le métronome.

Frappe sur la table avec ton doigt au même rythme que les secondes qui s'écoulent.

Observe les minutes qui s'écoulent et frappe des mains sur tes genoux pour marquer le rythme.

Pour t'aider, il y a 60 secondes dans une minute.

● Quel instrument choisirais-tu pour connaître la durée d'un parcours sportif ?

Je fais le bilan…

Benjamin a réalisé le parcours sportif en 9 secondes.
Il l'a représenté sur une ligne du temps : un carreau représente 1 seconde.

Sur une ligne du temps, un instant se représente par un tiret ; une durée par une longueur.

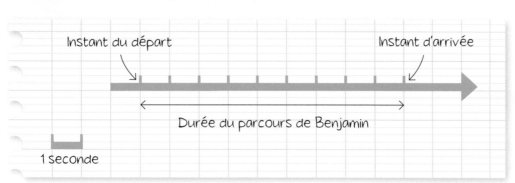

Instant du départ

Instant d'arrivée

Durée du parcours de Benjamin

1 seconde

● Recopie sur ton cahier la ligne du temps du parcours de Benjamin.

● Kevin a réalisé le même parcours en 8 secondes. Représente-le sur une ligne du temps. N'oublie pas d'indiquer l'instant du départ, l'instant d'arrivée et la durée du parcours.

Un instant, ça ne dure pas… Une durée, c'est un moment qui dure !

16. Qu'est-ce qui provoque la ronde des journées ?

Benjamin et Safia ont vu la Terre à la télévision.

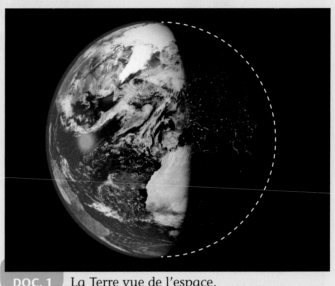

À ton avis...

● Décalque cette photographie.

● Colorie en jaune là où c'est la journée et en noir là où c'est la nuit.

On ne voit pas le Soleil sur cette photographie.

● Sais-tu de quel côté il se trouve ?

● Dessine-le sur ton calque.

DOC. 1 La Terre vue de l'espace.

À toi de chercher...

1 **Qu'est-ce qu'une journée ? Qu'est-ce qu'une nuit ?**

Safia et Benjamin ont réalisé une expérience pour comprendre pourquoi il y a des journées et des nuits.

Cette lampe, c'est comme le Soleil.

Ce ballon, c'est comme la Terre.

● Pour comprendre toi aussi, recopie ces phrases sur des Post-it, puis colle-les au bon endroit dans le tableau.

C'est la nuit sur une partie de la Terre

C'est le jour sur une partie de la Terre

La Terre   Le Soleil

Dans l'expérience : une lampe éclaire un ballon	En vrai : le Soleil éclaire la Terre
La lampe	...
Le ballon	...
Une partie du ballon est éclairée	...
Une partie du ballon est à l'ombre	...

● Complète le dessin que tu as réalisé sur le calque en indiquant la légende : la journée — la nuit

2 Comment la journée et la nuit se succèdent-elles ?

Voici une expérience avec une lampe et une balle.

● Place la France face au Soleil : c'est midi (document 2).

● Place maintenant la France à l'opposé : c'est minuit (document 3).

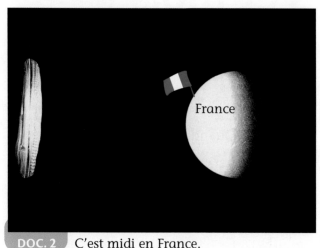

DOC. 2   C'est midi en France.

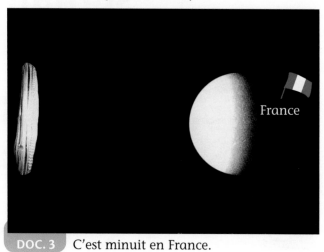

DOC. 3   C'est minuit en France.

● Fais tourner la Terre et place de nouveau la France à minuit, **un jour plus tard**.

● Pourquoi les journées et les nuits se succèdent-elles ? Dicte un texte à ton maître pour répondre à cette question.

Je fais le bilan...

Safia a représenté le déroulement d'un jour sur une ligne du temps.

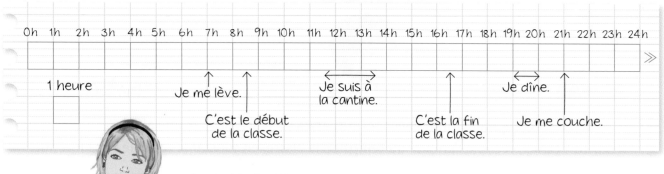

0h 1h 2h 3h 4h 5h 6h 7h 8h 9h 10h 11h 12h 13h 14h 15h 16h 17h 18h 19h 20h 21h 22h 23h 24h

1 heure

Je me lève.

C'est le début de la classe.

Je suis à la cantine.

C'est la fin de la classe.

Je dîne.

Je me couche.

Sur une frise, il faut toujours indiquer ce que représente un carreau.

● Pourquoi cette frise comporte-t-elle 24 carreaux ?

● Recopie le tableau dans ton cahier et complète-le en utilisant les mots :

instant   durée

Ce que dit Safia	Instant ou durée ?
Je me lève	...
Je suis à la cantine	...
C'est la fin de la classe	...
Je dîne	...

● Dessine une frise du déroulement d'un jour sur ton cahier. Colorie la durée d'une journée de classe.

17. Comment assembler semaines et mois ?

DOC. 1 À la cantine.

À ton avis...

- Où sont ces enfants ? Que font-ils ?
- Quand peut se passer cette scène ?

Vendredi Dimanche

Samedi Mercredi

Mardi Jeudi Lundi

À toi de chercher...

1 Certains jours de la semaine sont faciles à retrouver. D'autres moins !

- Sur ton cahier, copie dans l'ordre les sept jours de la semaine. Souligne en rouge les jours où tu vas à l'école. Souligne en bleu les autres jours.

- Trouve un moyen de reconnaître les jours de la semaine. Voici des exemples :

 Mardi soir, papa vient me chercher.

 Le lundi, il y a notre maîtresse Malika !

 Vendredi, je vais au judo.

- As-tu des repères en commun avec tes camarades ? Notez-les sur une affiche.

- Sur ton cahier, recopie l'emploi du temps de la classe, en suivant le modèle et sa légende.

	lundi	mardi	mercredi	jeudi	vendredi	samedi	dimanche
Matin							
Après-midi							

	2 carreaux représentent 1 journée		Nous n'allons pas à l'école

1 jour		1	2	3	4	5	6	7	8	9	10	11	12	13	14

2 Nous savons que les mois de l'année ont tous entre 28 et 31 jours.
Nous allons chercher combien de semaines entrent dans un mois.

- Fabrique une frise d'une semaine : un carreau de cahier représente un jour.
- Indique le nom des jours par leur initiale en majuscule.
- Reporte ta « frise semaine » sur la bande représentant les jours du mois au bas de la page.

Connais-tu le nom de certains mois de l'année ?
À quoi les reconnais-tu ?

- Combien de semaines entières rentrent dans le mois ?
Reste-t-il des jours ?

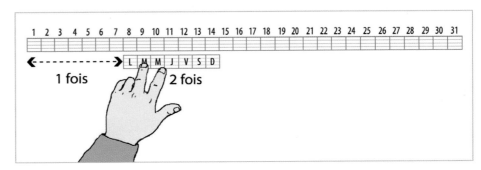

3 Il y a différentes manières de représenter un mois de 28 jours : on peut placer les semaines à la queue leu leu (A), les ranger en lignes ou en colonnes (B), les superposer (C) !

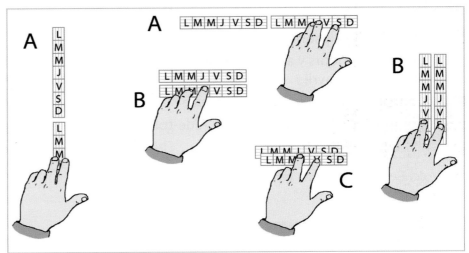

- Essayez plusieurs solutions et collez l'une d'entre elles. Présentez-la à vos camarades.
Montrez bien dans quel sens vous lisez les semaines qui se déroulent.

Je fais le bilan...

- Regarde le calendrier de la p. 46. Comment les semaines sont-elles rangées dans ce calendrier ?
Trouve des calendriers dans lesquels les semaines sont rangées autrement.

15	16	17	18	19	20	21	22	23	24	25	26	27	28	29	30	31

18. Comment se repérer dans l'année ?

À l'école, la maîtresse écrit la date tous les jours :
Aujourd'hui, nous sommes mardi 7 février.

À ton avis...

- Quelle était la date il y a trois jours ?
- Quelle sera la date dans deux semaines ?
- Quel outil faut-il pour répondre à ces questions ?

À toi de chercher...

1 Que trouve-t-on dans un calendrier ?

- Observe ce calendrier.
- Combien de jours y a-t-il en janvier, en février, en mars et en avril ?
- Connais-tu les autres mois de l'année ?
- Compte-les et indique leur nom. Aide-toi de la frise des pages 48 et 49.

Voici des informations qui figurent sur un calendrier.

- L'année
- Le jour de la semaine
- Le mois
- Le numéro du jour dans le mois
- La date

- Recopie-les sur des Post-it et colle-les à côté des numéros correspondants.

DOC. 1 Une partie du calendrier de l'année 2012.

2 Qu'est-ce que l'année scolaire ?

Dans la classe de Benjamin, une grande frise représente l'année scolaire.

- Pour quelle raison cette frise comporte-t-elle les années 2011 et 2012 ?

1er janvier 2011   début septembre 2011   31 décembre 2011

Année civile 2011

Année scolaire 2011-2012

1 mois

Voici des moments de l'année scolaire.

● Écris le numéro de chaque image sur un Post-it. Colle-le au bon endroit sur la frise.

DOC. 3 La rentrée des classes, début septembre.

DOC. 4 La fête des Mères au mois de mai.

DOC. 2 Les vacances de Noël, de fin décembre à début janvier.

Voici le calendrier des vacances scolaires de l'école de Benjamin :

Rentrée des classes	3 septembre 2011	
Vacances de Toussaint	du 22 octobre 2011	au 3 novembre 2011
Vacances de Noël	du 17 décembre 2011	au 3 janvier 2012
Vacances d'hiver	du 11 février 2012	au 27 février 2012
Vacances de printemps	du 7 avril 2012	au 23 avril 2012
Vacances d'été	5 juillet 2012	

● Découpe une bande de papier pour représenter l'année scolaire 2011-2012. Aide-toi de la frise.

● Colorie en bleu les périodes de vacances et en rouge les périodes de travail.

Je fais le bilan...

● Recopie cette frise sur une grande feuille quadrillée.

1ᵉʳ janvier 2012   début juillet 2012   31 décembre 2012

Année civile 2012

Année scolaire 2011-2012

Je comprends mieux... p. 56

19. Comment découpe-t-on l'année en saisons ?

Te souviens-tu du nom des quatre saisons ?
Va vérifier sur la frise.
Ces deux photographies ont été prises toutes les deux à 17 heures dans le centre de Grenoble.

DOC. 1 Grenoble au mois de mai : 17 heures.

DOC. 2 Grenoble au mois de décembre : 17 heures.

À ton avis...

- Pourquoi fait-il nuit dans un cas et jour dans l'autre cas ?

- La durée de la journée est-elle toujours la même tout au long de l'année ?

- Échange tes idées avec tes camarades. Notez-les sur une affiche.

À toi de chercher...

Autour du 20 septembre, le Soleil se lève vers 8 heures et il se couche vers 20 heures.

- Place l'**instant** du lever et celui du coucher sur une frise du jour. Pour t'aider, va voir l'enquête 16.

0h	1h	2h	3h	4h	5h	6h	7h	8h	9h	10h	11h	12h	13h	14h	15h	16h	17h	18h	19h	20h	21h	22h	23h	24h

1 heure

8 h ↓   20 h ↓

Durée de la journée fin septembre

- Découpe une bande qui représente la **durée de la journée fin septembre**.

décembre	janvier	février	mars	avril	mai

Hiver   Printemps

↑   ↑

- Trouve la durée de la journée en comptant les carreaux.
- Trouve la durée de la nuit. Souviens-toi : 1 jour = 24 heures.
- Réalise le même travail avec d'autres dates en t'aidant des informations du tableau.

	Fin décembre	Fin mars	Fin juin
Le Soleil se lève	Vers 9 h	Vers 7 h	Vers 6 h
Le Soleil se couche	Vers 17 h	Vers 19 h	Vers 22 h

- Sur ton cahier, colle les bandes que tu viens de construire l'une en dessous de l'autre :

Fin septembre

Fin décembre

Fin mars

Fin juin

- Pourquoi n'ont-elles pas toutes la même longueur ?
- Sur chaque bande, écris la durée que tu as calculée.

Je fais le bilan...

- Voici une frise de l'automne. Recopie-la dans ton cahier.

| septembre | octobre | novembre | décembre |

1 mois

Automne : les journées ....

- Complète-la en indiquant si les journées **allongent** ou si elles **diminuent**.
- Réalise le même travail avec les autres saisons.
- Recopie cette frise de l'année. Remplis les cadres vides en utilisant les phrases qui suivent.

La journée et la nuit ont la même durée.   C'est la journée la plus longue de l'année.

C'est la journée la plus courte de l'année.

| juin | juillet | août | septembre | octobre | novembre | décembre |

Été   Automne

20. Les saisons marquent-elles la vie des hommes ?

Dans le passé et pendant très longtemps, beaucoup de gens vivaient à la campagne et cultivaient les champs. Les saisons tenaient une grande place dans la vie des hommes.

DOC. 1 Ces images ont été peintes il y a très longtemps, au Moyen Âge. Elles montrent des paysans au travail en été, en automne et en hiver.

À ton avis...

- À quelle saison correspond chaque image ?
Pour trouver, observe la nature, les activités des paysans, leurs vêtements.

- En utilisant ce que tu sais des saisons, peux-tu deviner ce que font ces personnages ?

- À présent, les saisons marquent-elles ta vie ?
Tes habits ? Tes jeux ?
Tes activités ?
Ton alimentation ?

À toi de chercher...

À présent, la majorité des personnes vit en ville et ne travaille plus les champs.
Les saisons ont-elles toujours une importance dans la vie des hommes ?

1
- Observe le document 2. Reconnais-tu ces fruits ?
- Sont-ils tous cultivés près de chez toi ?
- Poussent-ils tous à la même saison ?
- Pourquoi, en France, peut-on manger toutes sortes de fruits toute l'année ?

DOC. 2 L'étalage d'un primeur, au printemps.

2 ● Où ont été prises ces photographies ? Qui sont ces personnes ? Que font-elles ?
Où peuvent-elles aller ?

DOC. 3   Paris : départ en vacances (juillet).

DOC. 4   Paris : départ en vacances (février).

En été ou en hiver, beaucoup de personnes partent en vacances.
Mais elles ne font pas les mêmes choses et ne vont pas au même endroit.

● Sur ton cahier, dessine et classe des activités d'été et d'hiver. Aide-toi de ces exemples :

DOC. 5   En été, on peut se baigner.

DOC. 6   En hiver, on peut faire de la luge.

● Dans ton manuel, cherche des scènes de vacances. Où ces vacanciers se trouvent-ils ?

● Sur la carte du relief de la France, en début de manuel, montre et nomme des montagnes
où l'on va en hiver et des mers où l'on passe l'été.

● Peut-on partir ailleurs en vacances ?

Je fais le bilan...

Aujourd'hui , l'activité de nombreuses personnes varie avec les saisons. Les vacanciers se déplacent
à la mer, à la montagne ou à la campagne. Ils donnent du travail aux personnes qui les transportent,
les accueillent et les hébergent.

● Ta région reçoit-elle des vacanciers ? En quelles saisons ?
Fais la liste des métiers liés aux vacances dans ta région.

● ● ● ▶ Je comprends mieux... p. 56

21. Comment construire son ruban de vie ?

Benjamin a 6 ans. Il est dans la classe de CP. Il a construit son ruban de vie :

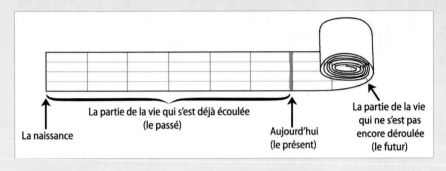

La partie de la vie qui s'est déjà écoulée (le passé)

La naissance

Aujourd'hui (le présent)

La partie de la vie qui ne s'est pas encore déroulée (le futur)

À ton avis...

● Fabrique le ruban de vie de Benjamin.

● Écris sur celui-ci le numéro des photographies à l'endroit qui convient.

3 mois

DOC. 1 Benjamin à 3 mois.

1 an

DOC. 2 Benjamin à 1 an.

4 ans

DOC. 3 Benjamin à 4 ans.

6 ans

DOC. 4 Benjamin à 6 ans.

À toi de chercher...

1 ● Dans ton cahier, colle des photographies de toi, prises à des âges différents. Donne un numéro à chaque photographie.

● Construis ton ruban de vie.

● Écris le numéro de chaque photographie au bon endroit sur ton ruban de vie.

2 Voici une ligne qui représente le temps qui passe.

Le passé : avant, autrefois

Le présent : maintenant, aujourd'hui

Le futur : après

● Place correctement ton ruban de vie sous cette ligne du temps.
Pour t'aider, réponds aux deux questions suivantes.

– Où placer le bord gauche du ruban de vie ?

Dans le passé ?   Dans le présent ?   Dans le futur ?

– Où placer le repère orange du ruban de vie ?

Dans le passé ?   Dans le présent ?   Dans le futur ?

Une ligne du temps va toujours de la gauche vers la droite.

Voici les rubans de vie de trois enfants.

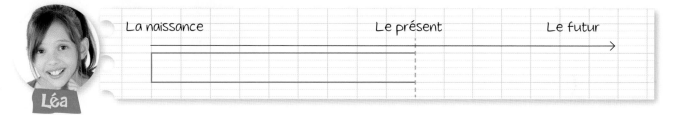

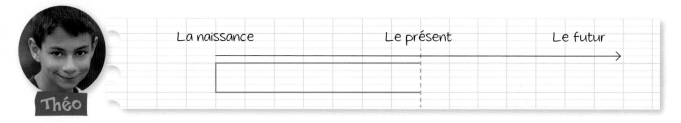

Théo — La naissance   Le présent   Le futur

● Qui est le plus vieux ? Peux-tu répondre sans compter les carreaux ?

● Qui est né le premier ? Explique comment tu le sais.

Je fais le bilan...

Benjamin, Claire et Alice ont placé leur ruban de vie sur la ligne du temps.

● Qui s'est trompé ? Qui a juste ? Justifie ta réponse.

Le passé   Le présent   Le futur

Benjamin

Claire

Alice

Je comprends mieux... p. 56

22. Comment représenter le temps à l'aide d'une frise ?

La mère de Benjamin a 30 ans aujourd'hui.

À ton avis...

- Si l'on représente un an par un carreau, combien de carreaux faut-il pour construire le ruban de vie de la mère de Benjamin ?

- Construis-le.

DOC. 1 Anne, la mère de Benjamin.

À toi de chercher...

1 Benjamin hésite. Il ne sait pas comment placer son ruban de vie et celui de sa mère sur une ligne du temps.

A

B

- Aide Benjamin à choisir entre les frises A et B :
  – quelle durée représente un carreau ?
  – montre avec ton doigt où se situe la naissance de Benjamin sur la ligne du temps ;
  – montre aussi où se situe la naissance de la mère de Benjamin.

Benjamin et sa mère sont-ils nés la même année ?

2 La grand-mère de Benjamin s'appelle Sylvie. Elle a 60 ans.

- Si l'on construisait son ruban de vie, avec les règles utilisées pour faire celui de Benjamin, combien de carreaux faudrait-il ? Ce ruban rentrerait-il dans ton cahier ?

- Avec tes camarades, cherchez une solution pour que le ruban de vie de la grand-mère tienne sur vos cahiers.

- Construis alors le ruban de vie de Benjamin et celui de sa mère, en utilisant la même échelle que pour le ruban de vie de la grand-mère.

Tu peux changer d'échelle. L'échelle t'indique la règle à suivre pour représenter le temps.

3 Voici une frise qui représente le temps écoulé depuis plus d'un siècle.

1900   1910   1920   1930   1940   1950   1960   1970   1980   1990   2000   2010

Échelle : 2 carreaux représentent 10 ans, c'est-à-dire une décennie.

- Combien y a-t-il de carreaux pour représenter une décennie ?

- Recopie cette ligne du temps sur ton cahier.

- Dessine, sous celle-ci, les rubans de vie de Benjamin, de sa mère Anne et de sa grand-mère Sylvie.

- Observe ces photographies. Que montrent-elles ? Écris leur numéro à la bonne place sur ta ligne du temps.

DOC. 2   Les premiers téléphones portables (1990).

DOC. 3   Le premier pas de l'homme sur la Lune (1969).

DOC. 4   Barack Obama devient le premier président noir des États-Unis (janvier 2009).

Je fais le bilan...

- Indique sur ton cahier qui a vécu chaque événement des photographies 2 à 4 : Benjamin, sa mère, sa grand-mère ?

Je comprends mieux...

J'ai appris que...

1 Pour répondre à certaines questions, les hommes mesurent le temps qui passe. Ils utilisent des repères comme les secondes, les jours, les saisons, les années... etc.

Retrouve l'enquête qui traite de chaque sujet.

Qui a couru le plus vite ? Amandine ou moi ?

Demain, est-ce que tu iras à l'école ?

C'est quand les vendanges ?

Papy, tu étais né quand on a posé le pied sur la Lune ?

● Réponds aux questions de ces enfants en utilisant les repères qui conviennent.

---

2 Il existe de nombreuses unités de temps. Elles servent à repérer des instants et à mesurer des durées.

● Avec tes camarades, retrouve les unités de temps utilisées dans les enquêtes 15 à 22.

● Sur ton cahier, écris ces unités en les rangeant de la plus petite à la plus grande.

Une seconde, c'est très court ! Un siècle, c'est très long !

---

3 Les unités de temps s'emboîtent

Il y a **24 heures** dans **un jour**.

Il y a **7 jours** dans **une semaine**.

Il y a **4 semaines** complètes en **un mois**.

Il y a **3 mois** dans **une saison**.

Il y a **4 saisons** dans **une année**.

Il y a **10 ans** dans **une décennie**.

Il y a **10 décennies** ou **100 ans** dans **un siècle**.

Oh = minuit   12h = midi   24h = minuit

7 8 9 10 11 13 14 15 16 17 18 19 20 21

↔1h

Un jour : 1j

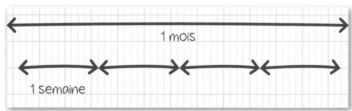

1 mois

1 semaine

J'ai appris à...

4 Représenter le temps à l'aide d'une bande, en changeant d'unités quand j'en ai besoin, en indiquant l'échelle, la légende et le titre.

Je sais représenter un mois sur mon cahier :

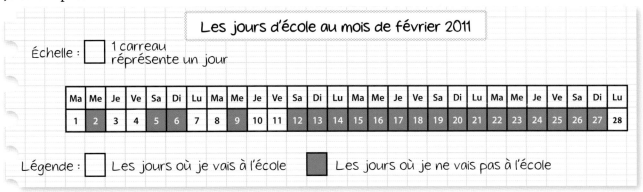

Les jours d'école au mois de février 2011

Échelle : ☐ 1 carreau réprésente un jour

Ma	Me	Je	Ve	Sa	Di	Lu	Ma	Me	Je	Ve	Sa	Di	Lu	Ma	Me	Je	Ve	Sa	Di	Lu	Ma	Me	Je	Ve	Sa	Di	Lu
1	2	3	4	5	6	7	8	9	10	11	12	13	14	15	16	17	18	19	20	21	22	23	24	25	26	27	28

Légende : ☐ Les jours où je vais à l'école   ▨ Les jours où je ne vais pas à l'école

Je sais représenter une année sur mon cahier :

Les saisons au fil des mois de l'année

Échelle : ☐ 2 carreaux représentent un mois

janvier	février	mars	avril	mai	juin	juillet	août	sept.	oct.	nov.	déc.

Légende : ▨ Printemps   ▨ Été

▨ Automne   ▨ Hiver

Je sais représenter un siècle sur mon cahier :

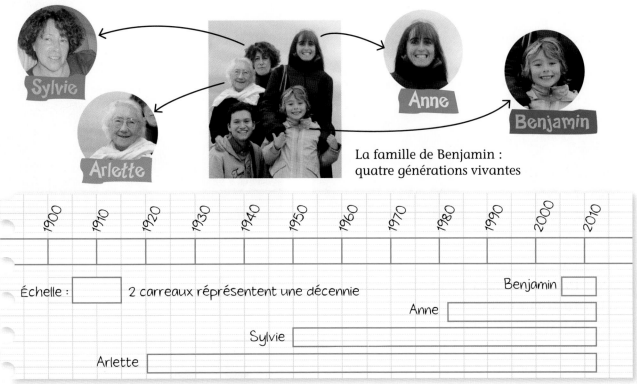

La famille de Benjamin : quatre générations vivantes

1900	1910	1920	1930	1940	1950	1960	1970	1980	1990	2000	2010

Échelle : ☐ 2 carreaux réprésentent une décennie

Benjamin ☐

Anne ☐

Sylvie ☐

Arlette ☐

23. Quelles sont les fêtes de notre calendrier ?

À ton avis...

● Quelles sont les fêtes que tu connais ?

● Discute avec tes camarades et donne tes idées à ton maître.

À toi de chercher...

DOC. 1 Un anniversaire.

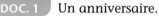

DOC. 2 Un mariage.

DOC. 3 La Fête nationale du 14 Juillet.

1

● Sur ton cahier, classe les photographies de fêtes en deux colonnes : les fêtes de famille et les fêtes du calendrier.

● Trouve d'autres fêtes à l'aide d'un calendrier.

● Écris leur nom sur des Post-it avec la date.

*Généralement, on ne travaille pas les jours de fête de notre calendrier. Ce sont des jours **fériés**.*

Voici d'autres photographies.

DOC. 4 Des fêtes inscrites à notre calendrier.

2 ● Reprends les Post-it que tu as préparés p. 58 et colle-les sur les bonnes photographies. Discute avec tes camarades pour vérifier.

● Retrouve ces fêtes dans le calendrier.

● Renseigne-toi pour savoir ce que l'on fête ces jours-là.

Tu as appris que le calendrier indique les jours et les mois (enquête 18). Il montre aussi les fêtes.

Je fais le bilan...

● Avec l'aide de ton maître, récapitule ce que tes camarades et toi avez trouvé.

● Recopie le tableau sur ton cahier et complète-le.

Fêtes d'origine religieuse	Fêtes non religieuses

● ● ▶ Je comprends mieux... p. 80

24. Quelles sont les fêtes préférées de Sarah et Karim ?

DOC. 1 Fête de la fin du ramadan.

DOC. 2 Fête de hanouka.

À ton avis...

- À quoi vois-tu sur ces images qu'il s'agit de fêtes ?
- Qu'est-ce qui t'étonne sur les documents 1 et 2 ?

Les textes expliquent ce qui se passe ces jours-là.

À toi de chercher...

A

Sarah et David sont de religion juive. En décembre, ils allument les bougies de la *hanoukia* (un chandelier spécial). Pendant l'allumage, ils chantent avec leur famille. C'est au moment de cette fête que Sarah et David peuvent recevoir des jouets et des cadeaux.

B

Chaque année, pendant le mois de ramadan, les musulmans ne mangent pas et ne boivent pas depuis l'aube jusqu'au coucher du soleil. La fin du ramadan est un jour de fête appelé Aïd al-Fitr. Ce jour-là, Karim et Leïla donnent et reçoivent des cadeaux.

DOC. 3 D'après Monique Gilbert, *Il était plusieurs « foi »,*
pour répondre aux questions des enfants sur les religions, Albin Michel, 2004.

1
- Fais correspondre chaque texte avec la bonne photographie.
- Repère dans chaque texte le mot qui indique la religion des enfants.

Les chrétiens, les musulmans et les juifs croient au même Dieu mais ils l'appellent différemment. Il y a aussi des gens qui ne croient en aucun dieu.

2 Voici une partie du mois d'août 2010 dans deux calendriers différents :

Août 2010

Lundi	Mardi	Mercredi	Jeudi	Vendredi	Samedi	Dimanche
2	3	4	5	6	7	8
9	10	11	12	13	14	15

Ramadan 1431

Dimanche الأحد	Samedi السبت	Vendredi الجمعة	Jeudi الخميس	Mercredi الأربعاء ماردونا	Mardi الاثنين	Lundi
8	7	6	5	4	3	2
15	14	13	12	11	10	9

- À quoi reconnais-tu le calendrier musulman ? Quelles différences vois-tu avec notre calendrier ?

- Écris la date suivante à la façon de notre calendrier : *12 ramadan 1431.*

- Écris la date suivante à la façon du calendrier musulman : *dimanche 8 août 2010.*

3
- Repère sur le calendrier juif (document 4) la fête de hanouka (document 2).

Ven	26			19
Cha	27	Vayéchèv ✡✡✡		20
Dim	28			21
Lun	29			22
Mar	30			23
Mer	1	Veille de 'Hanouka		24
Jeu	2	'Hanouka 1er j		25
Ven	3	'Hanouka 2e j		26
Cha	4	Mikets - 'Hanouka 3e j ✡✡✡ - Bén. du mois		27
Dim	5	'Hanouka 4e j		28
Lun	6	'Hanouka 5e j		29
Mar	7	'Hanouka 6e j - Roch-'Hodech 1er jour		30
Mer	8	'Hanouka 7e j		1
Jeu	9	'Hanouka 8e j		2

Mois de Novembre 2010

Mois de Décembre 2010

Mois de Kislev 5571

Mois de Tévèt 5571

DOC. 4 La fête de hanouka sur un calendrier juif de 2010.

Je fais le bilan...

- Sur ton cahier, écris une phrase pour dire quels sont les calendriers que tu connais maintenant.

- Pour chaque calendrier, précise ce qui t'a étonné.

Le calendrier musulman est écrit en arabe, le calendrier juif en hébreu. En Chine, les années portent le nom d'animaux réels (l'année du Tigre, par exemple) ou imaginaires (l'année du Dragon).

25. Comment faire pour reconstruire le passé ?

Sylvie

Cherchons ce qui se passait quand Sylvie, la grand-mère de Benjamin, était petite. Tu peux retrouver Sylvie à l'enquête 22 et chercher quand elle est née.

réservoir d'essence

moteur monté sur la roue avant

DOC. 2 Le Vélosolex : une nouveauté des années 1950.

DOC. 1 Dans une rue de Paris vers 1950.

À ton avis...

- Observe le document 1.
- À quoi vois-tu que cette photographie a été prise dans le passé ?
- Écris tes réponses sur ton cahier.

Pour reconstituer le passé, il faut se questionner et chercher des documents. Il existe plusieurs types de documents : des textes, des objets, des photographies, des frises...

- Observe le vélo du document 2. Qu'a-t-il de particulier ?
- Échange tes idées avec tes camarades.
- Retrouve-le sur le document 1.

Le 20ᵉ siècle, un siècle de violence.

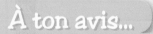

	1890		1900		1910		1920		1930

1

1ʳᵉ et 2ᵉ Guerres mondiales

À toi de chercher...

Voici d'autres documents qui montrent ce qu'il y avait de nouveau quand Sylvie était petite.

● **Fais la liste de ces nouveautés sur ton cahier.**

DOC. 3 Une photographie d'intérieur.

Richard était ouvrier. Il a commencé à travailler à l'âge de 14 ans. « C'est vers 1960 que j'ai senti ma situation s'améliorer », dit-il. Cette année-là, Richard touche 743 francs par mois et fête un grand événement, sa première voiture, une 2 CV, achetée d'occasion, à crédit, 3 000 francs. Le frigo et la télé viennent aussi à cette époque.

D'après Beaudeux, « Demain la France (1945-1985) », numéro spécial de *L'Expansion*, octobre-novembre 1985.

DOC. 4 Un texte documentaire.

DOC. 5 Une affiche publicitaire.

Je fais le bilan...

● Cherche des indices de dates dans les documents de la double page.
● À l'aide de la frise et de la liste que tu as faite, explique pourquoi les gens se sentaient heureux quand Sylvie était jeune fille.
● Demande à tes grands-parents de te parler de cette époque.

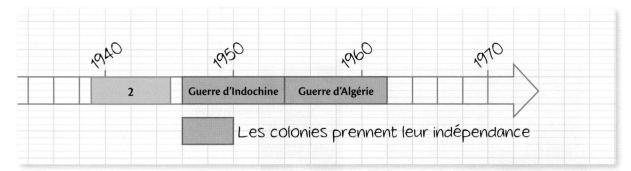

26. Une vieille dame raconte son passé

Arlette, l'arrière-grand-mère de Benjamin

Groisy, le 20 février

Mon cher petit Benjamin,

C'est avec un grand plaisir que je réponds à ta très jolie lettre.

Quand nous avions ton âge, Papounet et moi-même, nous vivions à la campagne, dans une ferme.

Il n'y avait pas de réfrigérateur ni de congélateur, pas de four électrique, pas de lave-linge ni de lave-vaisselle, pas de télévision mais un poste de radio (TSF).

La lessive était un travail bien pénible. Il fallait faire tremper le linge, le frotter ensuite au savon de Marseille, sur une grande planche qui était posée dans une bassine, ou directement au bord de la rivière.

Pour le repassage, un fer en fonte était tout le temps posé sur le fourneau. Il était donc toujours chaud.

J'espère t'avoir apporté quelques renseignements pour préparer votre exposition, Papounet se joint à moi pour t'embrasser bien fort et te souhaiter un bon travail.

Mamounette

Pour reconstituer le passé, on peut aussi questionner des personnes.

Les vieilles personnes n'ont pas toutes le même passé, cela dépend de leur âge et de l'endroit où elles vivaient.

À ton avis...

- Quel âge a Arlette aujourd'hui ? Cherche la réponse à la p. 57.

- Quelles questions Benjamin a-t-il posées à son arrière-grand-mère ?

1 ● Dans ton cahier, fais une phrase indiquant les objets qui n'existaient pas quand l'arrière-grand-mère de Benjamin était petite.

Le 20ᵉ siècle, un siècle de bouleversements techniques : l'exemple de la lessive.

| 1890 | 1900 | 1910 | 1920 | 1930 | 1940 | 1950 |

La lessiveuse

Au lavoir

À toi de chercher...

2 ● Observe les documents 1 et 2. Explique pourquoi il est plus facile de laver et de repasser aujourd'hui qu'autrefois.

DOC. 1 La lessive.

DOC. 2 Le repassage.

Je fais le bilan...

● Cherche des objets du passé et expose-les dans ta classe en indiquant à quoi ils servaient.

● Demande à des personnes âgées comment elles vivaient quand elles étaient enfants.

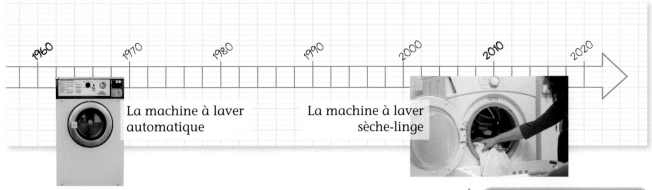

1960   1970   1980   1990   2000   2010   2020

La machine à laver automatique

La machine à laver sèche-linge

27. Partons sur les traces d'une petite fille d'autrefois...

Voici un document trouvé dans une maison ancienne.

DOC. 1 Broderie sur canevas, réalisée par une élève d'école primaire.

À ton avis...

- Est-ce que ce document peut servir à retrouver le passé ? Pourquoi ?

- Discutes-en avec tes camarades et donne tes idées à ton maître.

À toi de chercher...

- Cherche à qui appartient ce cadre.
- Que sais-tu de cette personne ?
- Ce document s'appelle un abécédaire. Comprends-tu pourquoi ?

Toutes les réponses se trouvent dans le document 1.

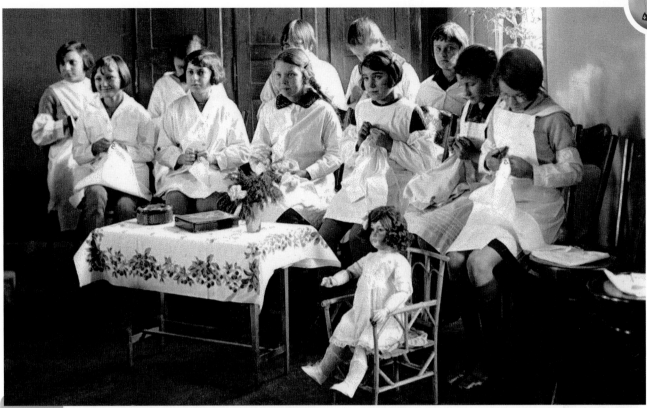

Classe de broderie dans les années 1900.

DOC. 3 Leçon de lecture dans les années 1900.

- D'après ces photographies, qu'est-ce que les élèves apprenaient à l'école ?
- À l'aide du document 2, explique comment Hélène a fabriqué son abécédaire.
- Observe sur le document 3 comment la maîtresse apprenait à lire aux élèves. Quelles différences remarques-tu avec la façon dont, toi, tu apprends à lire ?

Je fais le bilan...

- Fais la liste de ce que tu as découvert sur le personnage de l'abécédaire.
- Fabrique le ruban de vie d'Hélène, née en 1884 et morte en 1950.
  Utilise l'échelle suivante : = 10 ans.

28. Comment vivait-on autrefois dans le village d'Hélène ?

Voici une photographie ancienne du village dans lequel vivait Hélène Missillier, la petite fille de l'abécédaire (p. 66).

DOC. 1   Le Grand-Bornand vers 1920.

À ton avis...

- Quels étaient les métiers des habitants ?
- Qu'est-ce qui te permet de le savoir sur la photographie ?
- Écris tes idées puis discutes-en avec tes camarades.

Dans le paysage, cherche des indices de l'activité des hommes, comme tu as appris à le faire dans l'enquête 24. Observe aussi des cultivateurs au travail p. 73.

Entre le 19ᵉ et 21ᵉ siècle : la révolution des sources d'énergie.

| 1880 | 1890 | 1900 | 1910 | 1920 | 1930 | 1940 |

Les hommes utilisent les animaux, le bois, le charbon et le pétrole.

En montagne, beaucoup de villages sont électrifiés, grâce aux barrages.

Observe ces documents. Ils t'aideront à trouver d'autres idées de métiers.

● Que font ces personnages ? Travaillent-ils dans les champs ?
● Donne un titre à chaque photographie.

A

B

C

Le fromager, le forgeron, le bûcheron ou le scieur transforment les produits de la terre. Ce sont des artisans.

DOC. 2 Artisans au travail, vers 1900.

Je fais le bilan...

● Écris un petit texte racontant ce que faisaient les cultivateurs et les artisans dans le village d'Hélène, autrefois.
● À ton tour, cherche des photographies anciennes de là où tu habites et des images de métiers d'autrefois.

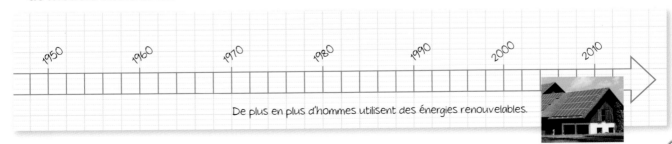

1950   1960   1970   1980   1990   2000   2010

De plus en plus d'hommes utilisent des énergies renouvelables.

Je comprends mieux... p. 80

69

29. Qu'est devenu le village de montagne ?

DOC. 1 Le Grand-Bornand aujourd'hui.

À ton avis...

- Reconnais-tu ce village ?
- Comment as-tu fait ?

À toi de chercher...

1 ● Sur ton cahier, écris les changements que tu vois entre la photographie d'aujourd'hui et celle d'autrefois. Pour t'aider, demande à ton voisin d'ouvrir son livre à la p. 68.

Pour mieux comparer, repère l'église sur les deux photographies (p. 68 et p. 70).

DOC. 2   La montagne, espace de loisirs.

DOC. 3   La montagne, terre d'élevage.

● Sur ton cahier, fais la liste des activités au Grand-Bornand aujourd'hui. Précise à chaque fois dans quel document tu as trouvé l'information.

● En une ou deux phrases, explique pourquoi il y a maintenant plus d'habitants qu'au temps d'Hélène.

Je fais le bilan...

Les villages de montagne (comme Le Grand-Bornand dans les Alpes) ne vivent plus seulement de l'agriculture (les travaux des champs). Aujourd'hui le tourisme (les activités de vacances) donne beaucoup de travail.

● Recopie le tableau puis complète-le.

Les activités du village de montagne	
Autrefois	Aujourd'hui

Je comprends mieux... p. 80

30. Comment se faisait le travail dans les champs ?

Voici comment aujourd'hui les hommes récoltent le foin :

DOC. 1 Couper l'herbe.

DOC. 2 L'étaler pour la faire sécher.

DOC. 3 En faire des bottes.

DOC. 4 Ramasser les bottes de foin.

À ton avis...

- Est-ce que le travail des champs se faisait de la même manière autrefois ?

- Écris sur ton cahier :
  – ce qui était pareil ;
  – ce qui était différent.

Le foin sert à nourrir les animaux en hiver.

DOC. 5 La récolte du foin vers 1900.

1 ● Observe cette photographie ancienne.
● Écris chaque action sur un Post-it : couper étaler ramasser faire des bottes
● Colle chaque Post-it au bon endroit sur la photographie.

2 ● Écris sur ton cahier le nom de ces deux outils et, à côté, l'action qu'ils permettent de réaliser. Sers-toi des verbes que tu viens d'utiliser.

Je fais le bilan...

● Combien de personnes vois-tu sur le document 5 ? Compare avec les documents 2 et 4. Explique pourquoi ce n'est pas le même nombre.

● Relis les idées que tu avais trouvées (p. 72). Qu'est-ce que le document 5 t'a appris ?

● ● ● ▶ Je comprends mieux... **p. 80**

31. Qui est Marianne ?

On voit Marianne partout.

DOC. 1 Sur notre monnaie.

DOC. 2 Sur nos timbres.

DOC. 3 Sur nos places.

À ton avis...

- Qui est Marianne ?
- As-tu vu Marianne sur une autre page de ton manuel ? À quel endroit ?

À toi de chercher...

> Un symbole est une image utilisée pour représenter une idée.

Que représente Marianne ?

Marianne est souvent entourée des symboles dessinés ci-dessous.

1. - Retrouve ces symboles sur les documents 1, 2 et 3.
   - Décalque le timbre de Marianne et reproduis-le sur ton cahier.
   - Indique, à l'aide de flèches, ce que veulent dire les quatre symboles qui l'entourent.

	RF		Liberté Égalité Fraternité
Son bonnet représente la liberté.	Ses initiales indiquent le nom de notre pays : la République française.	Les étoiles sont le signe de l'intelligence.	Sa devise est constituée des trois mots qui comptent le plus pour elle.

DOC. 4 Les symboles de Marianne.

2 Marianne n'est pas une femme qui a existé : c'est un symbole.
Elle représente les idées que nous partageons pour vivre ensemble : la Liberté, l'Égalité, la Fraternité.

● **Choisis un de ces principes et dessine ce qu'il veut dire pour toi.**

Avant de commencer, trouve des exemples en réfléchissant avec tes camarades. En voici quelques-uns.

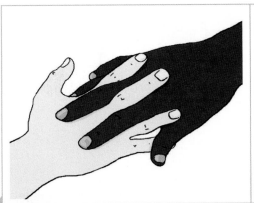  

DOC. 5 Liberté, Égalité, Fraternité : des valeurs à partager pour vivre ensemble.

3 Chaque année, Marianne a son jour de fête.

● **Dans ton manuel, cherche la date de notre fête nationale.**

● **Sur ton cahier, écris quelques phrases pour raconter ce qui se passe ce jour-là, près de chez toi ou sur le lieu de tes vacances.**

4 Dans chaque commune, Marianne a son monument du souvenir.
Il honore les hommes et les femmes qui se sont battus pour la République française, quand ils la croyaient en danger.

DOC. 6 Un bal populaire, le soir du 14 juillet.

Je fais le bilan...

● **Dans votre village ou votre quartier, relevez et photographiez les traces de Marianne, par exemple sa devise sur des bâtiments, son nom sur des plaques, son buste à la mairie, ou son monument sur une place.**

● **Fabriquez une affiche en associant vos photographies et vos dessins.**

● ● ● ▶ Je comprends mieux... p. 80

32. Pourquoi se souvient-on de certains « noms » de l'histoire ?

Certains personnages de l'histoire sont très connus : *on donne leur nom à des rues, à des bâtiments. On voit leur image sur des monuments ou sur des documents.* En voici un exemple.

MONUMENT À JULES FERRY

A En 1910.

B En 2010.

DOC. 1 À un siècle d'écart, un sculpteur (A) et une élève (B) ont représenté le même homme.

À ton avis...

- Comment s'appelle ce personnage ? Là où tu habites, y a-t-il un bâtiment ou une rue qui porte son nom ?

- Dans le portrait B, un mot que tu connais bien revient souvent ! Trouve-le.

- *Cherche des indices* faisant penser à ce mot sur le document A. *Qu'a pu faire cet homme ?*

AVANT LA RÉVOLUTION DE 1789

Les périodes

LE TEMPS DES ROIS

Les rois ont le pouvoir absolu sur leurs sujets.

Le temps qui passe

1720   1770   1789

Les repères importants

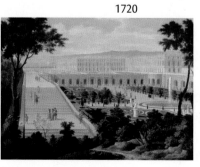

Les rois règnent de père en fils.

Le peuple est écrasé d'impôts.

14 juillet 1789 : le peuple prend la Bastille. Il abat les privilèges.

À toi de chercher...

Pour comprendre pourquoi on n'oublie pas certains personnages historiques, il faut les *situer dans leur temps et chercher ce qu'ils ont fait d'important.*

- ● Observe la frise ci-dessous : elle raconte la vie des Français au temps de Jules Ferry. Explique ce que tu comprends et échange avec tes camarades.

- ● Jules Ferry est né en 1832 et mort en 1893. Calcule combien d'années il a vécu et fabrique son ruban de vie.

- ● Place son ruban au bon endroit sur la frise : à quelle période est-il né ? Cette information te permet-elle de comprendre son rêve (document 2) ?

Pour construire le ruban de vie de Jules Ferry, choisis cette échelle :

| | = 10 ans

Le rêve de Jules Ferry

Jules Ferry est républicain. Il devient ministre de l'Instruction en 1879. Il se bat pour que tous les enfants aillent à l'école.

« *Laissez sentir [aux enfants], ne fût-ce qu'un instant, ce qu'il y a de commun à tous les hommes. Qu'il soit permis à l'école d'insister sur ce qui nous rapproche : les églises et les partis viendront assez tôt leur apprendre ce qui nous divise…* »

DOC. 2 Discours de Jules Ferry, 1882.

Je fais le bilan...

Les personnages historiques sont pour nous des repères : observer ce qu'ils ont fait dans le passé nous donne des références pour construire le futur.

- ● En reprenant *les étapes marquées en italique*, fais des recherches sur un autre personnage historique : de Gaulle, par exemple.

APRÈS LA RÉVOLUTION DE 1789

UNE PÉRIODE AGITÉE	LE TEMPS DE MARIANNE : LA RÉPUBLIQUE

Révolutions et contre-révolutions se suivent : de la violence, du sang, des morts.

 Les Français ont de nouveaux droits : s'instruire, dire ce qu'ils pensent, se réunir, choisir ceux qui font les règles.

1820   1870   1920

Les Français s'affrontent : les uns sont pour la République, les autres contre.

Les républicains gagnent. En 1881 : l'école devient gratuite.

● ● ● ▶ Je comprends mieux... p. 80

Histoire des arts

Ils la défendent avec leur plume

À différents moments de l'histoire, des artistes ont défendu Marianne quand elle était menacée.

● Connais-tu ces artistes ?

© Éd. de Minuit.

Liberté
Sur mes cahiers d'écolier
Sur mon pupitre et les arbres
Sur le sable sur la neige
J'écris ton nom

DOC. 2 En 1942, Paul Eluard (1895-1952) se cache. Ses poèmes d'espoir circulent clandestinement.

DOC. 1 En 1851, Victor Hugo (1802-1885) quitte la France. Dans ses romans, il dénonce la misère et l'injustice.

DOC. 3 Pablo Picasso (1881-1973) ne veut plus de guerres. Dès 1950, ses colombes fleurissent sur les murs des villes d'Europe.

Cours-y vite !

● Sur les frises des enquêtes 25 et 32, situe les périodes où ces artistes ont réalisé leurs œuvres. Que se passait-il alors ?

● Dans le bilan p. 57 et l'enquête 27, cherche qui était né à chaque époque. Hélène ? Sylvie ? Arlette ?

À toi de comprendre !

- Écris les trois mots de la devise de Marianne sur des Post-it. Observe bien les documents 1 à 3 et pose chaque mot sur l'œuvre qui l'illustre le mieux. Explique ton choix.

- Aujourd'hui, de nombreux auteurs de littérature jeunesse ouvrent aux enfants les portes de Marianne. En observant la couverture de leurs albums, sauras-tu trouver les principes qu'ils défendent ?

© Éd. Rue du Monde, 2003.

B

© Éd. Rue du Monde, 2002.

A

© Nathan Jeunesse, 2009.

C

DOC. 4 Ces albums chantent la diversité.

Ouvrir les portes : c'est expliquer des idées difficiles à comprendre.
Un témoin est quelqu'un qui voit ce qui se passe.
Un acteur est quelqu'un qui agit, qui fait quelque chose.

Je fais le bilan...

Beaucoup d'artistes se voient comme des témoins et des acteurs de leur temps. Leur œuvre invite chacun d'entre nous à réfléchir sur ce qu'il veut, sur ce qu'il fait.

À toi de jouer !

- Avec tes camarades, cherche des albums sur le sujet que vous venez d'étudier. Lisez-les !

Je comprends mieux...

J'ai appris que...

Retrouve l'enquête qui traite de chaque sujet.

1 **Les calendriers donnent la date, les mois, les jours de la semaine et indiquent aussi les fêtes.**

● Sur ton cahier, donne un exemple d'une fête de famille. Cite une fête du calendrier. Écris la date de notre fête nationale.

2 **Pour reconstituer le passé, on peut interroger les parents, les grands-parents et les arrières-grands-parents.**

Mais on a aussi besoin de documents, surtout quand on veut connaître un passé très ancien.

● À l'aide des documents 1 et 2, raconte ce que faisaient les hommes.

DOC. 1 Moisson vers 1900.

DOC. 2 Forgerons en 1910.

3 **Dans le passé, la plupart des hommes vivaient à la campagne, dans des fermes.**

Ils étaient cultivateurs. Il y avait aussi des artisans.

Aujourd'hui, le travail dans les champs se fait avec des machines.

Les villages ont bien changé.

● Retrouve les photographies qui montrent comment le travail des champs a changé.

● Retrouve les photographies qui montrent les changements à la montagne.

J'ai appris à...

4 Me repérer dans le passé.

DOC. 3 1er janvier 2002 : l'euro devient la monnaie européenne.

DOC. 4 Leçon de lecture en 1900.

DOC. 5

1958 : le général de Gaulle est élu président de la République.

Sur ton cahier

- Demande-toi si les documents parlent du passé et écris à quoi tu le vois.

- Range-les du plus ancien au plus récent. Utilise les numéros des photographies.

- À l'aide des rubans de vie que tu as construits, dis s'ils parlent du temps de tes parents quand ils avaient ton âge, du temps de tes grands-parents ou d'un temps encore plus ancien.

5 Comparer deux époques différentes.

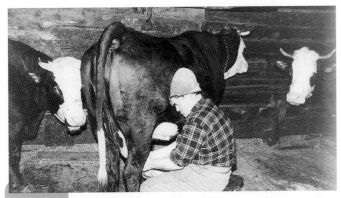

DOC. 6 Traite des vaches en 1970.

DOC. 7 Traite des vaches en 2010.

Sur ton cahier

- Fais la liste de ce que t'apprennent les documents 6 et 7 (sur ce que font les personnages, sur l'endroit, sur les outils, etc.).

- Repère ce qui est pareil et ce qui est différent.

- Fais une phrase pour expliquer ce qui a changé.

33. Comment savoir s'il fait chaud ou froid ?

Chaque matin, à l'école, Benjamin et ses camarades relèvent « la météo » (document 1).

la météo			
lundi 5 septembre	mardi 6 septembre	jeudi 8 septembre	vendredi 9 septembre
il fait très chaud	il fait moins chaud	il fait un peu froid	

DOC. 1 Le « tableau météo » de la classe de Benjamin.

À ton avis...

- Fais la même chose plusieurs jours de suite avec les camarades de ta classe.

- Est-ce que vous arrivez facilement à vous mettre d'accord ?

À toi de chercher...

1 Pour savoir s'il fait chaud ou s'il fait froid, il faut mesurer la température avec un thermomètre. Un thermomètre indique un nombre. Plus ce nombre est grand, plus il fait chaud. Plus ce nombre est petit, plus il fait froid.

- Observe le document 2 pour comprendre et pour t'entraîner.
Quelle est la température indiquée par les trois derniers thermomètres ?

Il fait 8° : on dit « 8 degrés ».

Il fait -2° : on dit « moins 2° » ou 2° au-dessous de zéro.

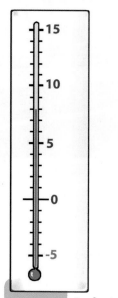 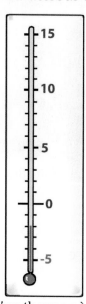 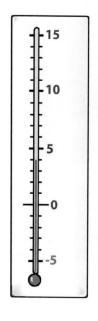 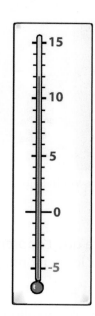 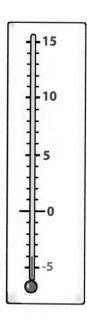

DOC. 2 La lecture d'un thermomètre.

2 Il y a toutes sortes de thermomètres :

A

°C

D

B

E

DOC. 3 Différents thermomètres.

● Reproduis le tableau ci-dessous dans ton cahier.

● Complète la dernière colonne avec la lettre qui correspond à l'usage.

Nom	Usage	Lettre
Thermomètre médical	Mesure la température du corps	
Thermomètre de bain	Mesure la température de l'eau d'un bain	
Thermomètre mural ou thermomètre d'appartement	Mesure la température de l'air d'une pièce ou de l'air de dehors	

À toi de mesurer des températures.

● Observe chaque image. Choisis un thermomètre approprié et mesure la température demandée. Note tes résultats dans ton cahier.

DOC. 4 La température de l'air dans un réfrigérateur.

DOC. 5 La température de l'eau froide qui coule du robinet.

DOC. 6 La température de la salle de classe.

● ● ▶ Je comprends mieux... p. 92

34. Comment fabriquer de la glace ?

À ton avis...

● Comment ferais-tu pour fabriquer de la glace ? Trouve le plus d'idées possibles.

Renseigne-toi : comment les hommes fabriquaient-ils de la glace lorsque les congélateurs n'existaient pas ?

1 Benjamin a eu plusieurs idées. Il veut mettre un verre contenant de l'eau à plusieurs endroits :

DOC. 1 En bas d'un réfrigérateur.

DOC. 2 Dans un congélateur.

DOC. 3 Dans la cour, en hiver.

DOC. 4

Dans une glacière.

● Est-ce que tu penses qu'il pourra ainsi fabriquer de la glace ?

● Écris ton avis sur des Post-it :

Oui, c'est sûr.

C'est possible, mais pas sûr.

Non, c'est impossible.

● Colle ensuite chaque Post-it sur la bonne image.

● Réalise les expériences de Benjamin pour vérifier tes idées.

2 Pour savoir à quelle température l'eau se transforme en glace, tu peux réaliser une expérience en hiver.

- Chaque fin de journée, installe un petit récipient d'eau dans la cour.
  Choisis un endroit qui reste à l'ombre.
- Place un thermomètre à côté.
- Observe le résultat le lendemain matin : l'eau a-t-elle gelé ?
  La température est-elle au-dessus ou au-dessous de zéro degré ?
- Résume tous tes résultats dans un tableau :

DOC. 5 Une expérience pour savoir à quelle température l'eau se transforme en glace.

Date	État de l'eau : solide ou liquide ?	Température
Lundi 6 janvier	…	…
Mardi 7 janvier	…	…
…	…	…

L'eau qui peut couler est de l'eau à l'**état liquide**. La glace, c'est de l'eau à l'**état solide**.

Je fais le bilan...

- Sur ton cahier, dessine une ligne des températures.
  Complète-la avec une légende au bon endroit : L'eau est à l'état solide   L'eau est à l'état liquide

-10°   -5°   0°   10°   5°

- Explique les transformations de l'eau en recopiant les cadres suivants et en les complétant avec :

Eau à l'état solide (glace)   Eau à l'état liquide   Refroidissement

35. Comment faire sécher le linge ?

Benjamin aide souvent sa maman à étendre le linge (document 1).

À ton avis...

● Comment le faire sécher rapidement ?

● Note toutes les idées auxquelles tu penses.

DOC. 1 Du linge qui sèche à l'extérieur.

 À toi de chercher...

1 Pour mieux comprendre, Benjamin réalise des expériences.
Il mouille deux mouchoirs identiques. Il les essore légèrement en les pressant dans sa main.

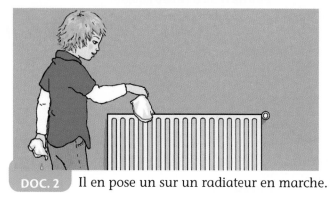

DOC. 2 Il en pose un sur un radiateur en marche.

DOC. 3 Il dépose l'autre sur une table.

● D'après toi, quel est le mouchoir qui séchera le plus vite ?

● Réalise l'expérience et écris son résultat.

Benjamin réalise une seconde expérience. Il mouille et il essore deux autres mouchoirs.

DOC. 4 Il en étale un sur une table.

DOC. 5 Il roule l'autre en boule et le place à côté.

- D'après toi, quel est le mouchoir qui séchera le plus vite ?
- Réalise l'expérience et écris son résultat.
- Grâce à ces expériences, explique comment Benjamin peut faire sécher le linge rapidement.

2 Les mouchoirs étaient mouillés, et maintenant ils sont secs .
Ça veut dire qu' ils ont perdu leur eau . Benjamin se demande où elle est passée :

– a-t-elle coulé le long du radiateur ?

– s'est-elle infiltrée dans la table ?

– est-elle partie dans l'air ?

- Et toi, qu'en penses-tu ? Note ton idée dans ton cahier de sciences.

Pour vérifier, Benjamin réalise une nouvelle expérience avec un mouchoir mouillé et essoré.

DOC. 6 Le mouchoir mouillé est recouvert par un saladier transparent.

- Réalise l'expérience et observe ce qui se passe le lendemain :
    – observes-tu de l'eau sur la table ?
    – observes-tu de l'eau sur le saladier ?
    – le mouchoir est-il sec ?
- Écris tes observations dans ton cahier de sciences.
- Explique maintenant ce qu'est devenue l'eau d'un mouchoir qui a séché.

Je fais le bilan...

L'eau qui sèche, c'est de l'eau qui s'évapore. Elle passe de l'état liquide à l'état gazeux et elle se mélange à l'air.

- Explique les transformations de l'eau en recopiant les cadres suivants et en les complétant avec :

(Eau à l'état liquide) (Eau à l'état gazeux) (Évaporation)

	⟶	

● ● ● ▶ Je comprends mieux... p. 92

36. Y a-t-il d'autres matières qui changent d'état ?

Tu as déjà observé les changements d'état de l'eau (enquêtes 34 et 35).

● Observe maintenant la bougie et la statuette (documents 1 et 2).

Le bronze est un métal souvent utilisé par les artistes de toutes les époques et de tous les continents.

DOC. 1 Une bougie d'anniversaire.

DOC. 2 Un masque africain en bronze.

À ton avis...

Comment est-on arrivé à leur donner cette forme ?

● Écris tes idées dans ton cahier de sciences.

À toi de chercher...

1 ## Comment fabriquer des bougies de toutes les formes ?

La matière qui constitue une bougie s'appelle la paraffine.
La fabrication se fait en quatre étapes (document 3).

Attention : le chauffage de la paraffine est une opération dangereuse. C'est à ton maître de la réaliser.

A **B** **C** **D**

DOC. 3 Fabrication d'une bougie.

A : 1ʳᵉ étape : préparer un moule avec une mèche.

B : 2ᵉ étape : chauffer **légèrement** la paraffine et attendre sa fusion : transformation de l'état solide à l'état liquide.

C : 3ᵉ étape : verser la paraffine dans le moule.

D : 4ᵉ étape : attendre la solidification : transformation de l'état liquide à l'état solide, puis démouler.

● Réalise cinq étiquettes comme ci-dessous.

Solidification

Paraffine à l'état solide

Paraffine à l'état liquide

Paraffine à l'état solide

Fusion

● Explique les transformations de la paraffine en collant les étiquettes, dans le bon ordre, sur ton cahier.

2 Comment fabriquer des objets en bronze ?

Le document 4 représente une étape de cette fabrication.

● Écris un texte expliquant les quatre étapes de la fabrication d'un masque en bronze.

La paraffine fond à 60° ; le bronze à 1 000°.

 DOC. 4 Une coulée de bronze.

● Recopie sur ton cahier les cadres ci-dessous.

● Explique la fabrication d'un objet en bronze en complétant ces cadres avec les mots suivants :

Bronze à l'état solide   Bronze à l'état liquide   Solidification   Fusion

Je comprends mieux... **p. 92**

37. Comment observer le temps qu'il fait ?

Chaque matin, Benjamin et les élèves de sa classe doivent remplir un tableau pour noter le temps qu'il fait (document 1).

	lundi	mardi
Température		
Pluie ou neige ?		
Soleil ou nuage ?		
Vent ?		

DOC. 1 Le « tableau météo » de la classe de Benjamin.

À ton avis...

- Fais la même chose dans ta classe.
- Est-ce que vous avez réussi à vous mettre facilement d'accord ?
- Pourquoi certaines lignes sont-elles difficiles à remplir ?

À toi de chercher...

1 Comment observer s'il y a du soleil ou des nuages ?

- Observe les deux photographies du document 2.
- Fait-il soleil ? Y a-t-il des nuages ?

DOC. 2 Des ciels nuageux.

Ne regarde pas le Soleil lorsque tu observes le ciel : c'est très dangereux pour les yeux.

Les scientifiques qui prévoient le temps utilisent un code :

Que du soleil Pas de nuages	Beaucoup de soleil Un peu de nuages	Autant de soleil que de nuages	Un peu de soleil Beaucoup de nuages	Pas de soleil Que des nuages

DOC. 3 Le code des météorologues.

- Dessine, sur un Post-it, le code qui correspond à chaque photographie et colle-le dessus.

2 ● Comment mesurer la pluie tombée ?

Procède comme sur le document 4 :

- Place une boîte dehors chaque jour où il pleut.
- Découpe une bande de la même hauteur que l'eau.
- Colle la bande sur le tableau météo de ta classe.
- Mesure la longueur de la bande et indique la hauteur de pluie tombée.

lundi 7 novembre

Pluie

Un peu plus que 1 cm

DOC. 4 Mesure de la hauteur de pluie tombée.

3 ● Comment observer s'il y a du vent ?

DOC. 5 Des manches à air pour mesurer la force du vent.

Pour mesurer la force du vent, les météorologues utilisent des manches à air (document 5).

- Observe ces photographies. Y a-t-il du vent ?
- Explique comment tu le sais.

Pour indiquer si le vent est fort, tu peux utiliser un code simplifié :

Code 0 : pas de vent
Code 1 : vent léger
Code 2 : vent fort

Renseigne-toi
sur le code
des météorologues.

- Écris ce code dans ton cahier.
- Écris, sur un Post-it, le code qui correspond à chaque photographie et colle-le dessus.

● ● ● ▶ Je comprends mieux... p. 92

Je comprends mieux...

J'ai appris que...

Retrouve l'enquête qui traite de chaque sujet.

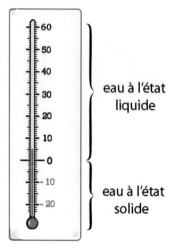

eau à l'état liquide

eau à l'état solide

1 La **température** est un nombre qui permet de savoir s'il fait chaud ou froid. Elle se mesure avec un **thermomètre**.

2 L'eau existe à l'**état liquide** ou à l'**état solide** : la glace. La transformation s'effectue à 0°.

3 L'eau peut s'**évaporer** : elle passe de l'**état liquide** à l'**état gazeux**. Elle ne disparaît pas, mais elle se mélange à l'air.

État liquide → Évaporation → État gazeux

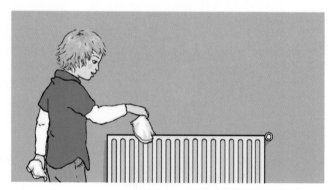

4 D'autres matières changent d'état. Par exemple, la paraffine ou le bronze peuvent passer de l'état solide à l'état liquide ou inversement.

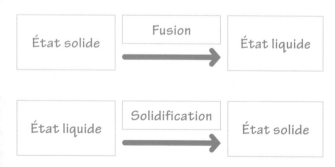

État solide → Fusion → État liquide

État liquide → Solidification → État solide

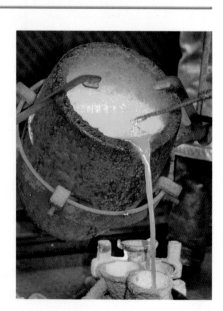

J'ai appris à...

5 Mesurer une température avec un thermomètre :

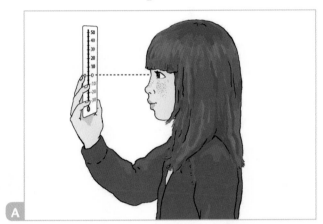

A

Placer l'œil bien en face de la colonne de liquide.

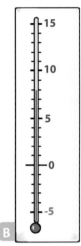

B

Lire comme sur une droite numérique.

---

6 Observer le temps qu'il fait et utiliser des codes pour en rendre compte :

Un peu de soleil
Beaucoup de nuages

Code 2 : vent fort.

---

7 Réaliser des expériences pour comprendre :

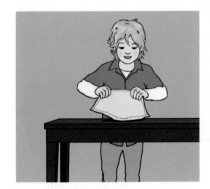

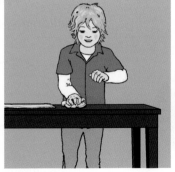

Par exemple, grâce à cette expérience...

... je comprends pourquoi il faut étendre le linge pour le faire sécher.

38. Comment réaliser un circuit simple ?

Voici la tête d'un ours dessinée dans du carton.

● Observe son nez : avec quoi est-il fait ?

Tu vas fabriquer cette maquette et comprendre comment elle fonctionne.

DOC. 1 Une maquette à étudier.

À ton avis...

● Quel matériel faut-il pour faire briller le nez de l'ours (document 2) ?

● Choisis les objets utiles.

● Dessine-les dans ton cahier.

● Écris leur nom en dessous.

Il ne faut pas jeter les piles à la poubelle. Lorsqu'elles sont usées, il faut les apporter dans une déchetterie.

un interrupteur

une pile

une ampoule

une télécommande

des fils électriques

une douille

un vibreur

un moteur

DOC. 2 Du matériel possible pour fabriquer la maquette de l'ours.

1 Comment allumer l'ampoule avec la pile ?

- Réalise des essais avec le matériel du document 3.
- Repère à quels endroits l'ampoule touche la pile puis dessine ce que tu as fait.

DOC. 3 Une pile et une ampoule.

2 Comment allumer l'ampoule lorsqu'elle est loin de la pile ?

Il est pratique de visser l'ampoule sur une douille et d'utiliser des fils électriques (document 4).

- Réalise l'allumage de l'ampoule.
- Dessine ton montage.
- Pour quelle raison un montage électrique s'appelle aussi un circuit électrique ?

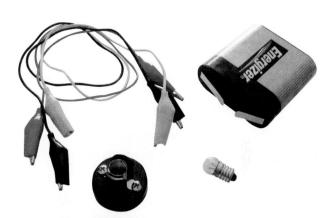

DOC. 4 Une pile, une ampoule, une douille, des fils.

3 À quoi servent les objets du document 2 ?

- Observe de nouveau tous ces objets. Lesquels peuvent fonctionner avec la pile ? Expérimente pour répondre à cette question.
- Dessine les circuits électriques que tu as réalisés.
- Voici trois verbes : briller sonner tourner
  Écris-les sur des Post-it et colle-les sur les objets qui conviennent dans le document 2.

Ne réalise jamais des expériences avec une prise de courant : c'est très dangereux !

Non Léo !
Ne touche pas la prise !

Je fais le bilan...

- Observe les circuits que tu as dessinés : lequel permet de faire briller le nez de l'ours ?
- Réalise la construction.

39. Quel est le rôle des différents composants d'un circuit ?

Dans l'enquête 38, tu as appris à réaliser un circuit avec une pile plate, une ampoule et des fils.
Tu vas apprendre à utiliser d'autres composants électriques.

À ton avis...

- Connais-tu d'autres objets qui peuvent être utilisés dans un circuit électrique ?
- Observe le document 1. Connais-tu le nom de certains de ces objets ?

DOC. 1 D'autres composants électriques.

À toi de chercher...

1 Par quoi peut-on remplacer la pile plate ?

- Essaye d'allumer l'ampoule avec le matériel de la photographie.
- Dessine le circuit réalisé.
- Es-tu surpris du résultat ? Va voir l'enquête 41 pour comprendre.

DOC. 2 Du matériel pour allumer l'ampoule.

2 Comment commander l'ampoule par un interrupteur ?

- Réalise un circuit comportant une pile, une ampoule, des fils et un interrupteur (document 3).
Tu dois pouvoir allumer ou éteindre l'ampoule en actionnant l'interrupteur.

DOC. 3 Un interrupteur.

Pour t'aider, voici deux montages proposés par des élèves (documents 4 A et 4 B).

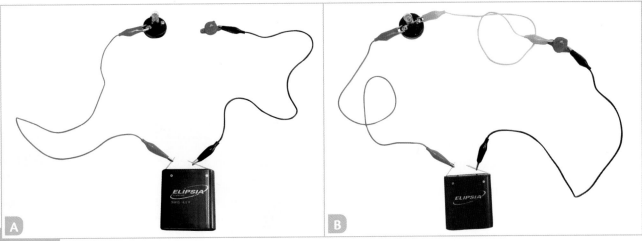

DOC. 4 Deux montages à essayer.

● Dessine sur ton cahier celui qui convient.

③ Qu'y a-t-il dans un interrupteur ?

DOC. 5 Une expérience pour comprendre le fonctionnement d'un interrupteur.

● Réalise l'expérience du document 5.
● Explique ce qui se passe lorsque les deux languettes de métal se touchent.

Languette rigide   Languette souple

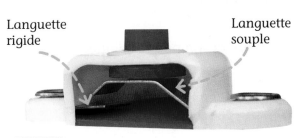

DOC. 6 L'intérieur d'un interrupteur.

● Observe l'intérieur d'un interrupteur (document 6).
● Que font les deux languettes lorsqu'on appuie sur le bouton ?
● Que fait alors l'ampoule ?

Je fais le bilan...

Dans un circuit électrique, il y a trois catégories de composants :
– un générateur : il fournit l'électricité ;
– un récepteur : il utilise l'électricité ;
– les autres composants : ils relient le générateur et le récepteur.

Voici une liste de composants :

| ampoule | interrupteur | fil électrique | pile plate | vibreur | pile ronde | moteur |

● Classe chacun d'entre eux dans l'une des catégories citées au-dessus.

Je comprends mieux... p. 106

40. Comment réaliser d'autres maquettes ?

Dans l'enquête 38, tu as réalisé un jouet qui fonctionne grâce à un circuit électrique. Tu vas étudier d'autres exemples dans cette enquête.

La maquette du document 1 est fabriquée avec du carton. La sonnette retentit si quelqu'un appuie sur le bouton.

DOC. 1 Une maquette de maison avec une sonnette.

À ton avis...

- Comment sont branchés les fils derrière le carton ?
- Fais un dessin pour expliquer.

À toi de chercher...

1 **Comment installer une sonnette à la porte d'une maison ?**

Voici des montages proposés par des élèves (document 2).

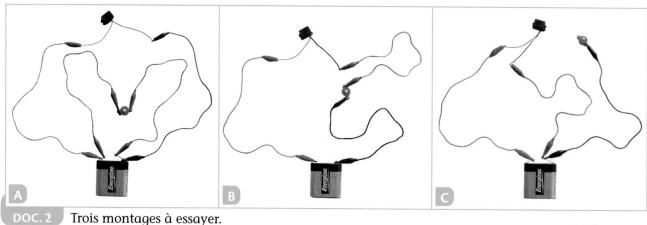

A **B** **C**

DOC. 2 Trois montages à essayer.

- Un seul de ces montages fonctionne correctement. À toi de le trouver !

Le vibreur a un sens de branchement. Il ne sonne pas s'il est branché dans le mauvais sens. C'est pour cela que les deux fils n'ont pas la même couleur.

2 Comment fabriquer un jeu électrique ?

Des fils électriques sont cachés derrière
le carton jaune des photographies A, B et C
(document 3).
Ils sont reliés à des attaches parisiennes.

- Explique pourquoi l'ampoule brille sur
  les photographies B et C et pourquoi
  elle ne brille pas sur la photographie A.
- Dessine le carton et les fils cachés derrière.

Attaches parisiennes

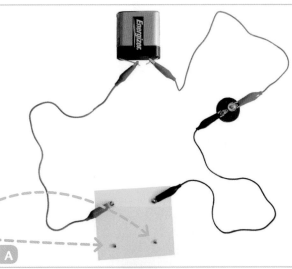

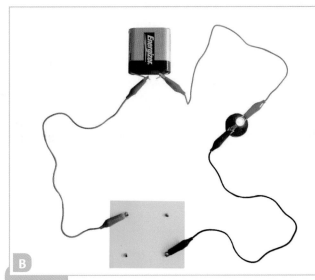

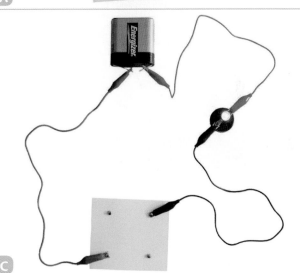

DOC. 3 Des montages pour comprendre le fonctionnement d'un jeu électrique.

Je fais le bilan...

Voici maintenant un jeu. L'ampoule
s'allume lorsque tu accroches les fils
aux bonnes attaches parisiennes.

- Fais un dessin pour expliquer
  comment sont les fils sous le carton.
- Réalise un jeu comme celui-ci.

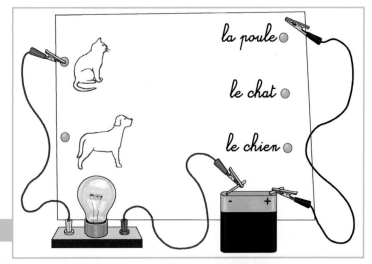

la poule ○

le chat ○

le chien ○

DOC. 4

Un jeu à fabriquer.

41. Comment faire griller une ampoule ?

- Réalise l'expérience du document 1.
- Comment brille l'ampoule ?
- Conserve ce montage, il te servira à en comparer d'autres avec celui-ci.

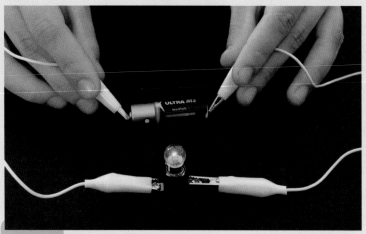

| DOC. 1 | Allumage d'une ampoule avec une pile ronde.

À ton avis...

- Comment faire pour que l'ampoule brille plus ?
- Lis les hypothèses ci-dessous :
  1. *Prendre une pile neuve.*
  2. *Utiliser une pile ronde plus grosse.*
  3. *Utiliser plusieurs piles rondes à la fois.*
  4. *Changer l'ampoule.*
- Dis ce que tu en penses puis vérifie tes hypothèses.

À toi de chercher...

1 ## Comment brancher ensemble deux piles rondes ?

Voici deux façons de procéder avec deux piles (document 2).

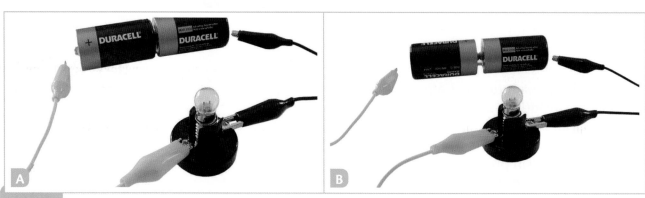

| DOC. 2 | Deux possibilités pour associer deux piles rondes.

- À ton avis, comment l'ampoule va-t-elle briller lorsque tu brancheras les fils ?
- Vérifie en essayant.
- Dessine les expériences et note leur résultat.

② Comment faire griller une ampoule ?

- Essaye maintenant d'augmenter l'éclat de l'ampoule en utilisant trois piles (document 3).
- Continue tes expérimentations avec 4 piles, puis 5 ou 6, jusqu'à ce que l'ampoule grille.
  Combien de piles a-t-il fallu ?

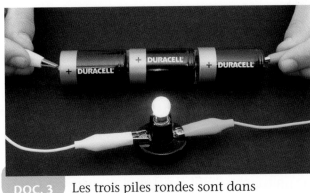

DOC. 3 Les trois piles rondes sont dans le même sens.

③ Peut-on placer les piles dans n'importe quel sens ?

- Observe de nouveau le document 3. **Les trois piles sont dans le même sens : leur effet s'ajoute.**
- Observe maintenant le document 4. **Deux piles sont en sens inverse : leur effet s'annule.** Tout se passe comme s'il n'y en avait qu'une.

DOC. 4 Deux piles rondes sont en sens inverse.

- Prévois maintenant ce qui va se passer dans les circuits des documents 4 et 5.
- Vérifie en essayant.

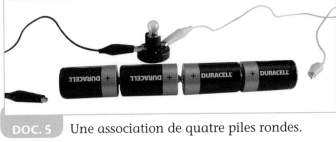

DOC. 5 Une association de quatre piles rondes.

Je fais le bilan...

- On augmente le voltage en associant plusieurs piles. Observe les documents 6 et 7.

DOC. 6 Association de **2 piles rondes : 3 V.**

DOC. 7 Association de **4 piles rondes : 6 V.**

- Dessine sur ton cahier comment obtenir 9 volts avec des piles rondes.
- Dessine également comment obtenir 12 volts, 15 volts, 18 volts.
- Combien de volts une ampoule peut-elle supporter avant de griller ?

Il y a danger dès que le voltage atteint 24 volts. Les piles ont moins de 10 volts. Les prises ont 230 volts.

●●▶ Je comprends mieux... **p. 106**

42. Comment se protéger des dangers de l'électricité ?

Tu as vu dans l'enquête 41 que l'électricité est dangereuse. Lorsqu'on touche un fil électrique, le corps est traversé par l'électricité. Ça peut être dangereux si le voltage dépasse 24 volts.

En France, beaucoup d'enfants meurent chaque année à cause de l'électricité. Sois très prudent !

À ton avis...

- Que faut-il faire pour ne pas risquer de se faire électrocuter ?
- Fais des dessins pour expliquer tes idées.

À toi de chercher...

1 Quel est le rôle de la gaine d'un fil électrique ?

Le document 1 représente un fil électrique.

Câble métallique

Gaine en plastique

DOC. 1 Les deux parties d'un fil électrique.

- Observe ses deux parties.
- Réalise ensuite le montage du document 2 :
  - fixe d'abord les pinces sur la gaine en plastique ;
  - fixe ensuite les pinces sur le câble métallique.
- Décris ce que fait l'ampoule dans chaque cas.
- Recopie les phrases suivantes :

  La gaine en plastique ..... le courant électrique.

  Le câble métallique .... le courant électrique.

- Complète-les avec :

  conduit   *ne conduit pas*

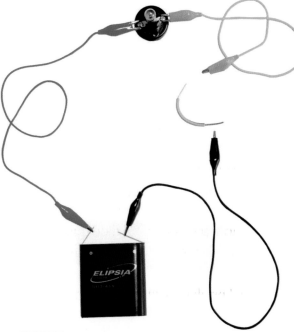

DOC. 2 Le rôle de la gaine en plastique et du câble métallique.

2 Quels sont les matériaux conducteurs ? Quels sont les matériaux isolants ?

● Réalise la même expérience en plaçant, entre les pinces, le matériel indiqué dans le tableau suivant.

● Recopie le tableau dans ton cahier et complète-le.

	L'ampoule s'allume-t-elle ? Oui ou Non	Le matériau est-il conducteur ou isolant ?
Clou en acier	...	...
Ficelle en coton	...	...
Crayon en bois	...	...
Règle en aluminium	...	...
Règle en plastique	...	...

● Voici plusieurs phrases. Lesquelles sont justes ? Lesquelles sont fausses ?

La règle est conductrice.   L'aluminium est conducteur.   L'acier est conducteur.

Le coton est isolant.   Le crayon est isolant.   Le bois est isolant.

Je fais le bilan...

● Lis le texte qui suit. Il explique ce qu'il faut faire en cas d'électrocution.

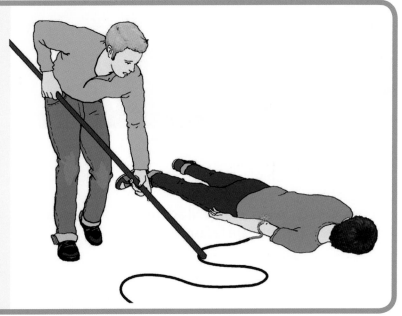

Attention, une personne électrocutée peut transmettre l'électricité à toute personne qui viendrait lui porter secours.

- Couper le courant.
- Si ce n'est pas possible, éloigner la personne du fil électrique en utilisant un bâton en bois ou en plastique.
- Appeler d'urgence les secours en composant le **18** (pompiers) ou le **112** (numéro d'urgence).

DOC. 3   Conseils pour porter secours à une personne électrocutée.

● Pour quelle raison le bâton doit-il être en bois ou en plastique ?

Ils ont apprivoisé la « **fée électricité** »

Les documents 1 et 2 ont été pris à l'extérieur. Ils montrent tous deux des jeux d'ombre et de lumière.

- As-tu déjà vu des éclairs comme ceux-ci ? Ces éclairs ont-ils la même origine ?

DOC. 1 La foudre tombant sur la terre.

Le photographe Charles Gorse se présente comme un « chasseur d'orages ».
Il a très peur de la foudre mais il adore la photographier car la force de l'électricité le fascine.

La foudre, c'est de l'électricité qui traverse l'air. Son voltage atteint plusieurs millions de volts !

DOC. 2 Un spectacle laser.

Depuis les années 1970, des artistes utilisent la lumière du laser pour offrir des spectacles grandioses en plein air.

Le laser est une source de lumière très puissante.

Cours-y vite !

- Dans ton manuel, cherche :

– pourquoi Charles Gorse a peur de la foudre ? Quels sont les dangers de l'électricité ?

– depuis quand les hommes utilisent-ils des appareils électriques ?

La fête des Lumières à Lyon, le 8 décembre.

DOC. 3 Des bougies aux fenêtres.

DOC. 4 Les monuments illuminés.

● Au XIXᵉ siècle, pour la fête des Lumières, les Lyonnais installaient des bougies sur leur fenêtres.
Au XXIᵉ siècle, des artistes habillent de lumière les monuments de la ville (document 4).
Explique ce changement.

2010 : Le mur de lumière, à Pékin, en Chine

En Chine, des architectes ont inventé une nouvelle sorte d'immeuble : pendant la journée, ses murs, équipés de panneaux solaires, captent les rayons du soleil.

La nuit venue, la façade de l'immeuble utilise l'énergie accumulée pour s'animer de fabuleux jeux de lumière.

Je fais le bilan...

Les hommes ont toujours été fascinés par l'électricité.

Petit à petit, ils ont découvert comment la maîtriser. L'électricité a changé la vie des hommes, comme l'aurait fait une « bonne fée » ! Elle a d'abord servi à éclairer les rues et les maisons, à fabriquer de nouvelles machines.

Puis, les artistes ont utilisé cette source d'énergie pour inventer des tableaux de lumière.

À toi de jouer !

● À ton tour, compose un tableau de lumière : trouve des idées pour opposer le noir et les couleurs de l'arc-en-ciel.

Je comprends mieux...

J'ai appris que...

1 **Un circuit électrique est une boucle avec :**

Retrouve l'enquête qui traite de chaque sujet.

– un composant qui fournit l'électricité (une pile) ;

– un composant qui utilise l'électricité
(une ampoule, un moteur, un vibreur).

Ces composants sont reliés entre eux. On utilise souvent des fils qui rendent les montages plus pratiques.

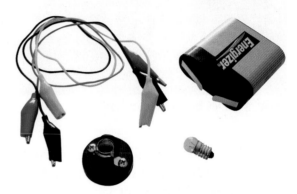

- Retrouve dans les enquêtes de ton livre les photographies des composants qui constituent un circuit électrique.

- Dessine-les et écris leur nom.

---

2 **Pour commander un circuit, on se sert d'un interrupteur.**

Il se place dans la boucle, comme les autres composants.

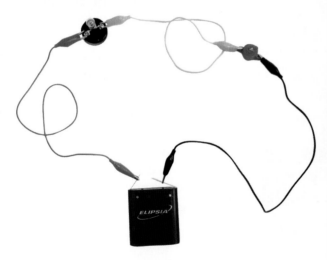

- Dessine l'intérieur d'un interrupteur.

3 **Les piles ne sont pas dangereuses car leur voltage est faible.**

On peut augmenter le voltage en branchant ensemble plusieurs piles.

L'électricité peut devenir dangereuse à partir de 24 V.

- Retrouve la page qui explique comment faire griller une ampoule en utilisant plusieurs piles.

---

4 **La foudre, c'est de l'électricité qui traverse le ciel.**

Son voltage dépasse un million de volts !

5 Les isolants nous protègent contre les risques **d'électrocution**.

Certains matériaux comme les métaux laissent passer l'électricité :
ce sont des **conducteurs**.

D'autres matériaux comme le plastique ne laissent pas passer l'électricité : ce sont des **isolants**.

J'ai appris à...

6 Réaliser des maquettes qui fonctionnent grâce à l'électricité.

7 Tester si un matériau est conducteur ou isolant.

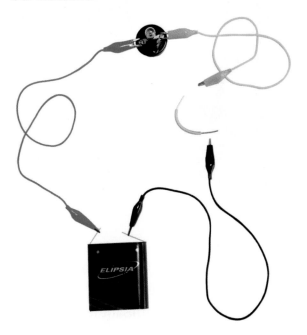

8 Être prudent avec l'électricité.

9 Représenter un circuit en utilisant ces dessins.

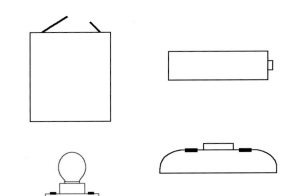

43. Où se plie ton corps ?

DOC. 1 Des enfants en train de se déplacer.

- Imite la position de l'un des enfants.
- Décris la position des enfants.
- Fais des phrases en utilisant les mots suivants :

enfant   debout   plié

pliée   tendu   tendue

jambe   bras

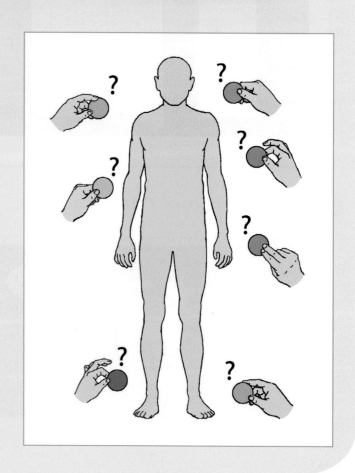

À ton avis...

- Où se plie ton corps ?
- Mets des gommettes sur toi aux endroits où se plie ton corps.

● Avec des attelles, vérifie si tes gommettes sont placées aux endroits où se plie ton corps.

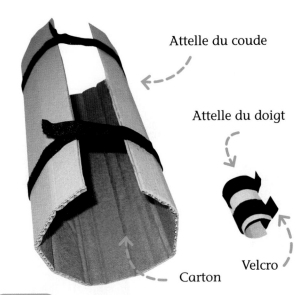

Attelle du coude

Attelle du doigt

Velcro

Carton

DOC. 2 Fabriquer une attelle.

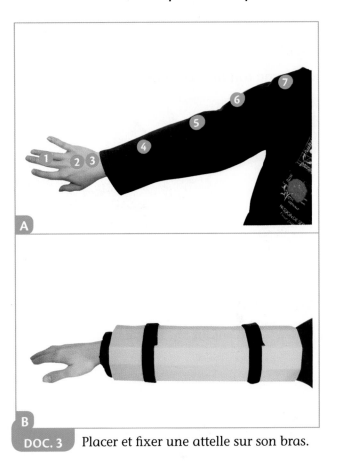

A

B

DOC. 3 Placer et fixer une attelle sur son bras.

● Observe le document 3 A puis donne les numéros des gommettes bien placées.
● Observe le document 3 B puis écris sur ton cahier si cet enfant peut téléphoner.
● Explique pourquoi.

● Décalque la silhouette et colle-la sur ton cahier.
● Mets des points là où tu as vérifié que ton corps se plie.

Ces endroits sont des articulations.

● Puis légende ton dessin en utilisant les noms suivants :

cheville   hanche   poignet   coude   genou   cou   épaule

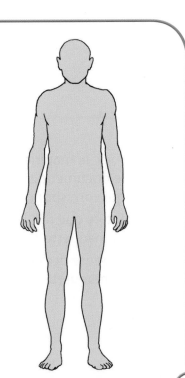

Pour **légender**, il faut mettre un trait entre le nom et l'endroit qui vont ensemble.

● ● ● ▶ Je comprends mieux... p. 128

44. Comment se plie ton bras ?

● Touche ton bras comme le fait l'enfant.

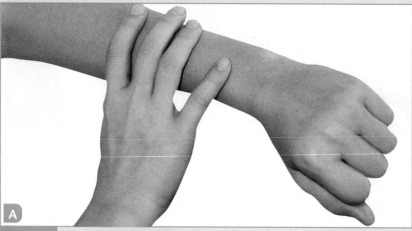

| A | B |

DOC. 1 Un enfant touche son bras.

À ton avis...

● Comment est-ce à l'intérieur de ton bras ?

● Sur une silhouette, dessine l'intérieur de ton bras.

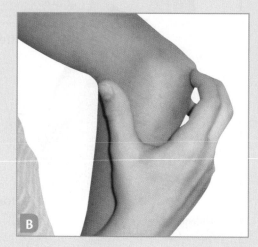

À toi de chercher...

● Avec le matériel que tu vois sur le document 2, construis la maquette qui correspond à ton dessin.

● Est-ce que ton bras bouge comme ta maquette ?

● Propose des changements afin que ta maquette bouge comme ton bras.

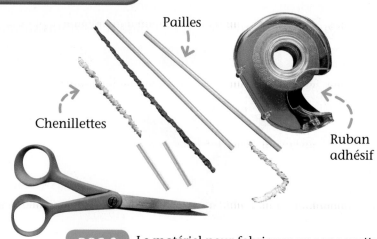

Pailles

Chenillettes

Ruban adhésif

Ciseaux

DOC. 2 Le matériel pour fabriquer une maquette.

● Observe cette radiographie. Où le bras se plie-t-il ?

Ces endroits sont appelés articulations.

● Pourquoi le bras ne se plie-t-il qu'aux articulations ?

● Au niveau du coude, peux-tu plier le bras dans tous les sens ? Pourquoi ?

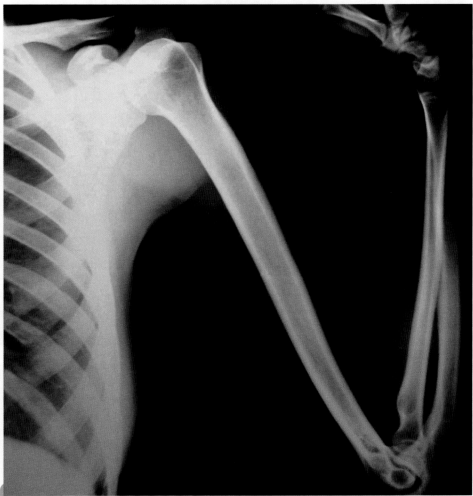

DOC. 3 Une radiographie du bras.

● Observe la photographie du document 4.
Pourquoi le mouvement se fait-il facilement au niveau du coude ?

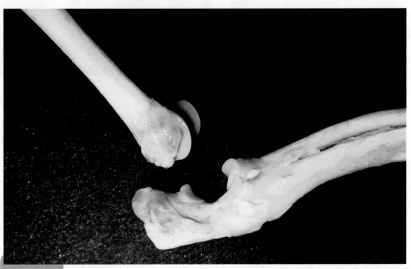

DOC. 4 Le squelette d'un coude de lapin.

Pour que tes os soient solides, il faut manger tous les jours des produits laitiers (fromages, yaourts, lait…) qui apportent à ton corps du calcium.

45. Peux-tu reconnaître les os sur une radio ?

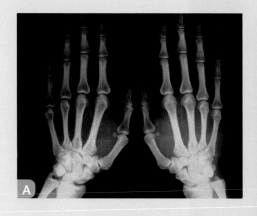

A

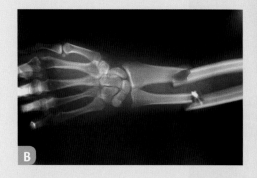

B

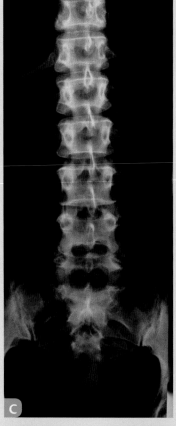

C

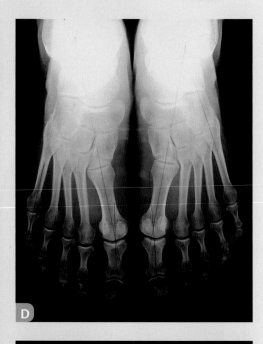

D

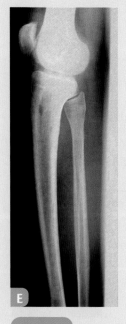

E

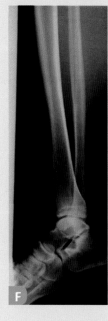

F

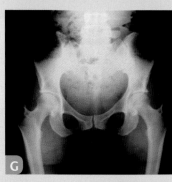

G

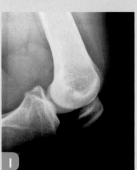

I

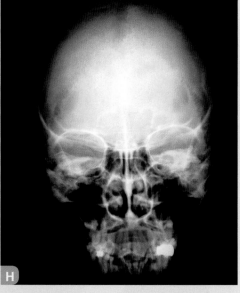

H

À ton avis...

● Que voit-on sur ces radios ?

DOC. 1 Des radiographies du squelette.

● Sur les radios, mets une gommette au niveau des articulations.

● Quels os ont été cassés ?

Je fais le bilan...

● Décalque la silhouette et colle-la sur ton cahier.

● Écris les numéros des radios aux bons endroits.

● Écris la légende en utilisant les mots suivants :

  pied   main   cuisse   jambe

 bras   avant-bras

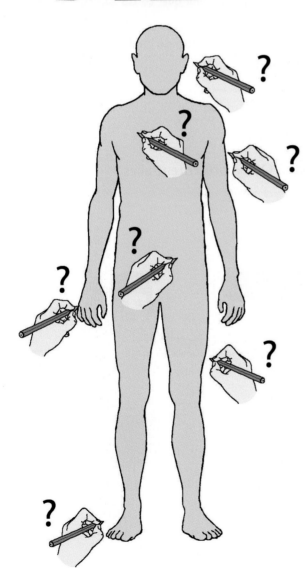

● Imagine que tu es radiologue. Sur le bras d'un de tes camarades, pose un cadre de plastique transparent.

● Dessine l'intérieur.

Cadre   Plastique transparent

Feutre effaçable

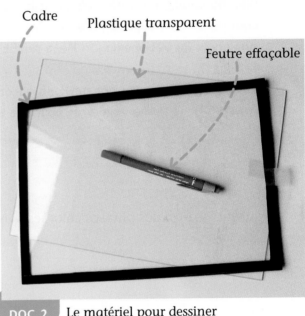

DOC. 2 Le matériel pour dessiner l'intérieur du bras.

Pour t'aider, tu peux utiliser le squelette de la page de garde à la fin du livre.

Les os sont vivants : ils grandissent, grossissent. Lorsqu'ils se cassent, ils se réparent en fabriquant de l'os nouveau.

46. Comment le corps comprend-il le monde qui l'entoure ?

Aujourd'hui est un jour d'école. Oscar raconte son réveil :

Je dormais tranquillement quand j'ai été réveillé par les informations, à la radio.

J'ai entrouvert les yeux et j'ai vu qu'il faisait jour. Mon papa m'a dit : « Oscar, il est l'heure que tu te lèves et que tu t'habilles, ton bol de lait est prêt mais attention, il doit être bouillant car il "fume". »

Bien au chaud, il aurait été difficile de sortir du lit si l'odeur du pain grillé n'était pas venue chatouiller mon appétit ! J'allais finir de m'habiller quand ma maman m'a mis en garde quant à mon choix de vêtements... « Mets plutôt un pull en coton car celui que tu as choisi est en laine, il risque de te gratter. »

Voilà, je peux prendre mon petit déjeuner. Hum, j'adore le lait chaud au miel, c'est doux et sucré dans ma bouche. Me voilà prêt pour une bonne journée !

À ton avis...

- Pourquoi y a-t-il des phrases colorées dans ce texte ? Que représentent-elles ?

À toi de chercher...

1
- Décalque ce personnage sur ton cahier.
- Colorie en orange la partie du corps qui te permet d'entendre.
- Colorie en vert la partie du corps qui te permet de voir.
- Colorie en mauve la partie du corps qui te permet de sentir.
- Colorie en rose les parties du corps qui te permettent de toucher les choses qui t'entourent.
- Pourquoi ne peux-tu pas colorier en bleu la partie du corps qui te donne des informations sur le goût ?

Toutes les informations recueillies par tes organes des sens sont traitées par ton cerveau.

- À ton avis, celui-ci utilise-t-il toujours un seul organe pour comprendre une information ?
Pour t'aider à répondre à cette question, lis à nouveau la partie rouge du texte :
« il doit être bouillant car il "fume" ».

DOC. 1   Un bol de lait « fumant ».

2
- Depuis ta naissance, comment perçois-tu le monde avec tant de précision ?

- Pour chaque objet ou situation vécue, quels organes utilises-tu pour les décrire ?

- Discutes-en avec tes camarades. Ont-ils les mêmes avis que toi ?

Voici cinq situations que tu as certainement vécues dans ta vie :
- la craie qui crisse sur le tableau de la classe ;
- le tonnerre qui gronde près de la maison ;
- le chant des oiseaux au printemps ;
- la purée trop chaude ;
- l'odeur des déchets.

une rose	du citron	de la lavande	du chocolat	de la vanille	de la menthe
des glaçons	une éponge	de la laine			

Pour répondre aux questions, demande-toi si tu as déjà goûté, écouté, vu, touché, senti ces objets.

Je fais le bilan...

- Reproduis ce tableau dans ton cahier et complète-le seul ou avec un camarade après avoir relu le texte de la page de gauche.

Couleurs dans le texte	Les organes des sens en action	... me permettent de :	Quel(s) sens en jeu ?

Je comprends mieux... p. 128

47. Est-il plus facile de vivre avec un handicap aujourd'hui ?

Handicap : nom masculin, impossibilité ou difficulté permanente de faire quelque chose à cause d'un mauvais fonctionnement ou d'un non-fonctionnement d'une partie du corps.

À ton avis...

- Lis cette définition du mot « handicap » et discutes-en avec tes camarades.

- Observe la jeune fille du document 1. Quelle partie de son corps ne fonctionne pas correctement ?

- À quoi lui sert le chien ?

DOC. 1 Un chien spécial et son maître.

À toi de chercher...

1
- Comment vivre sans l'ouïe ou sans la vue ?
- Observe les situations suivantes et complète le tableau après l'avoir reproduit dans ton cahier.

DOC. 2 Une dame traverse la chaussée, canne blanche à la main.

DOC. 3 Appareil auditif d'autrefois.

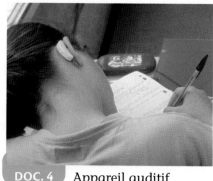

DOC. 4 Appareil auditif d'aujourd'hui.

	Quel sens fait défaut ?	Comment cette personne compense-t-elle son handicap ?
Doc. 1		
Doc. 2		
Doc. 3		
Doc. 4		

2 ● Avec un camarade, à tour de rôle pour assurer la sécurité de chacun, mettez un bandeau sur vos yeux une dizaine de minutes.

● Au cours de cette expérience sans la vue, quel sens avez-vous utilisé ?

● Bouchez-vous les oreilles quelques minutes lors de la récréation, au milieu des enfants qui courent en tous sens.

● Quand l'ouïe fait défaut, quel sens vous permet de savoir ce qu'il se passe autour de vous ?

● Discutez de ces expériences et échangez vos impressions.

3 Quelques solutions pour mieux vivre son handicap.

● Observe attentivement les documents 6 à 9 et associe-les au handicap qui convient.

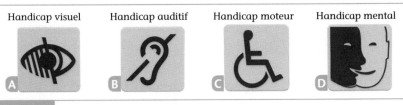

Handicap visuel	Handicap auditif	Handicap moteur	Handicap mental
A	**B**	**C**	**D**

DOC. 5 Signalétique des handicaps.

DOC. 6 En classe, des élèves malentendants.

DOC. 7 Une élève écrit en braille.

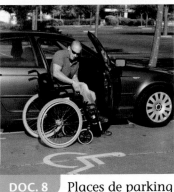

DOC. 8 Places de parking réservées.

DOC. 9 Dans un magasin, un accueil adapté.

Je fais le bilan...

● Cite d'autres aménagements qui améliorent la vie des gens porteurs de handicap.

● Observe et lis cette affiche. Qu'en penses-tu ?

Tes organes des sens sont fragiles, prends-en soin ! N'écoute pas ta musique trop fort, ne regarde pas le soleil, par exemple.

DOC. 10

Affiche sur le handicap.

DU 1ᵉʳ AU 8 AVRIL 2006 ■ METZ

CHANGEONS NOTRE REGARD SUR LE HANDICAP

SEMAINE DE SENSIBILISATION À LA DIFFÉRENCE

SPECTACLES ≠ EXPOS ≠ RENCONTRES SPORTIVES ≠ COLLOQUES

Je comprends mieux... p. 128

48. Comment sont tes dents ?

● Décris la bouche de cet enfant de 4 ans en utilisant les mots suivants : lèvre gencive dents mâchoire

À ton avis...

- ● Combien as-tu de dents ?
  Ont-elles toutes la même forme ?
- ● Sur ton cahier, dessine tes dents.
- ● Compare ton dessin à celui de tes camarades.

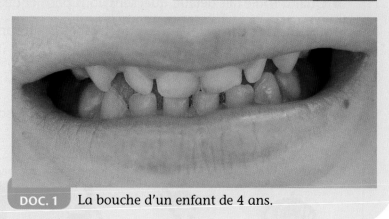

DOC. 1 La bouche d'un enfant de 4 ans.

À toi de chercher...

- ● Fais l'empreinte de tes dents dans la pâte à modeler en suivant les documents 2, 3 et 4.
- ● Compte tes dents.
- ● Décris les empreintes de tes dents. Utilise leur nom : incisive, canine, molaire.
  Utilise les mots suivants pour décrire leur forme :

triangulaire carrée ronde pointue bosselée

Gommette pour indiquer
la place de la mâchoire du haut

Languette de pâte
à modeler repliée

Carton

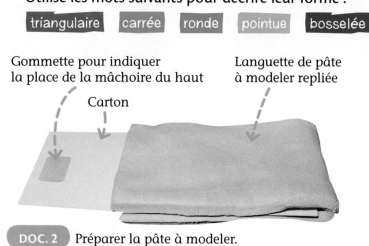

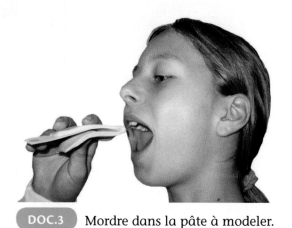

DOC. 2 Préparer la pâte à modeler.

DOC.3 Mordre dans la pâte à modeler.

- ● Dessine et légende ton empreinte
  en t'aidant des dessins suivants :

Languette dépliée

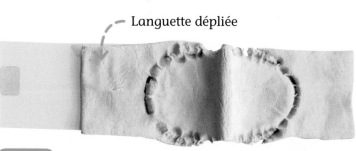

- ● Compare ton empreinte avec celles
  de tes camarades.

DOC.4 Déplier la pâte à modeler.

DOC. 5 Une incisive.

DOC. 6 Une canine.

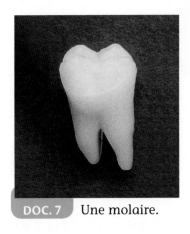

DOC. 7 Une molaire.

● Décalque sur ton cahier ces trois dents et colorie en rose la partie cachée dans la gencive.

● Mets les légendes : racine couronne

● Observe et décris la couronne.

● Recopie et complète ces trois phrases :

les incisives servent à ...   les canines servent à ...   les molaires servent à ...

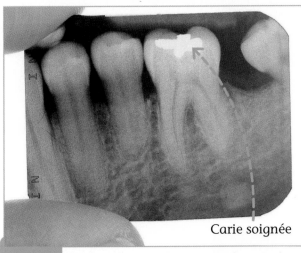

Carie soignée

DOC. 8 Radio d'une molaire soignée qui n'a jamais été douloureuse.

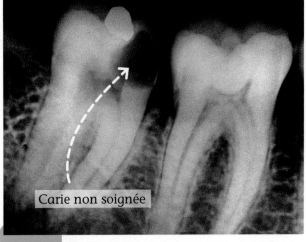

Carie non soignée

DOC. 9 Radio d'une molaire avec une carie douloureuse.

● Décris les radios et décalque les dents du document 9.

● Colorie la gencive en rose et la partie sensible des dents en rouge.

● Mets les légendes suivantes : couronne, racine, carie, gencive, partie sensible. Ajoute un titre.

Une radio permet de voir si la dent présente une carie, c'est-à-dire un trou.
Si la carie atteint la partie sensible de la dent, elle est douloureuse.

Il faut aller une fois par an chez le dentiste car même si tu n'as pas mal aux dents, tu peux avoir de petites caries.
Il faut se brosser soigneusement les dents matin et soir et même à midi si tu le peux.

Je comprends mieux... **p. 128**

49. Comment passe-t-on de la dent de lait à la dent définitive ?

● Décris les documents 1 et 2 en utilisant les mots :

dents de lait · dents définitives · mâchoire supérieure · mâchoire inférieure · incisive · canine · molaire · gencive

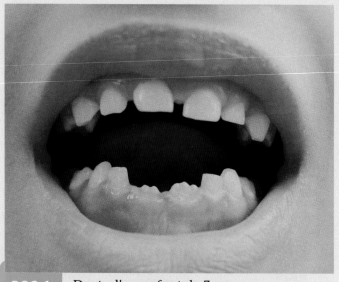

À ton avis...

● Où se trouvent tes dents définitives dans ta bouche ?

● Dessine tes idées sur ton cahier.

DOC. 1 Dents d'un enfant de 7 ans.

DOC. 2 Dents de lait.

À toi de chercher...

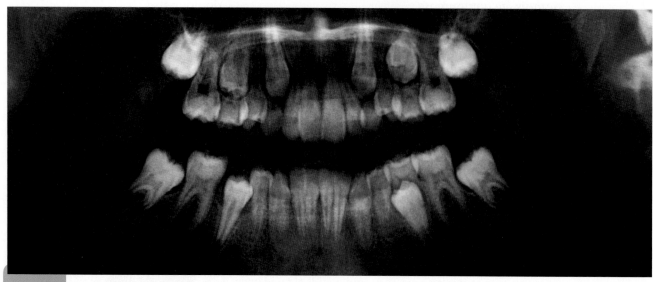

DOC. 3 Radio des mâchoires d'un enfant de 9 ans.

120

- Observe la radio d'un enfant de 9 ans (document 3 page de gauche).
- Situe la mâchoire du haut, la mâchoire du bas et l'emplacement de la langue.
- Indique où se trouvent les dents de lait, les dents définitives et les futures dents.

Sous une dent de lait, il y a toujours la future dent définitive. Sous une dent définitive, il n'y a rien car cette dent ne sera plus remplacée.

Je fais le bilan...

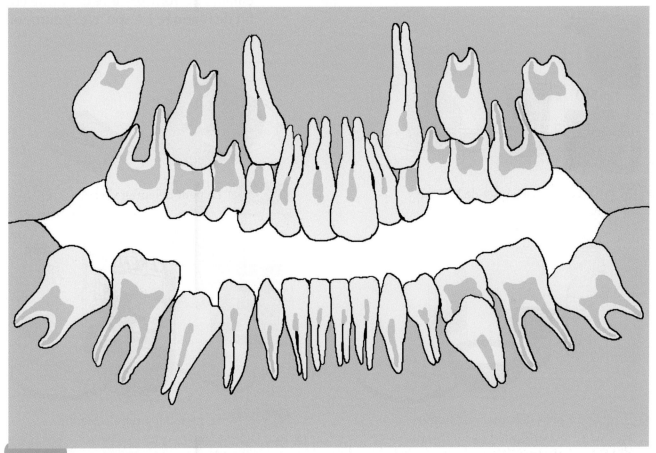

DOC. 4 Dessin de la radio du document 3.

- Décalque ce dessin.
- Colorie en bleu les dents de lait, en rouge les dents définitives et en jaune les futures dents.

Les enfants ont 20 dents de lait qui poussent entre 6 mois et 3 ans. Elles tombent entre 6 et 11 ans. Les adultes ont 28 dents définitives et parfois 4 dents de sagesse en plus.

Je comprends mieux... p. 128

50. Quel petit déjeuner pour être en forme ?

- Recherche dans des revues et prospectus les photographies des aliments que tu as mangés ce matin au petit déjeuner.
- Colle-les dans ton cahier.

À ton avis...

- Observe ces petits déjeuners. Quels enfants ne vont pas être en forme en fin de matinée ? À ton avis, pourquoi ?

DOC. 1 Le petit déjeuner de Marine.

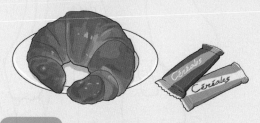

DOC. 2 Le petit déjeuner de Lola.

DOC. 3 Le petit déjeuner de Thomas.

DOC. 4 Le petit déjeuner de Medhi.

À toi de chercher...

DOC. 5 Marine en classe / Marine en récréation.

● En questionnant les quatre enfants, on a appris que Marine avait eu un malaise vers 10 heures.

● Que fait Marine pendant les cours et lors de la récréation (document 5) ?

● Pourquoi Marine a-t-elle eu un malaise ?

● Pour t'aider, tu peux comparer le petit déjeuner de Marine et les petits déjeuners présentés par le kangourou.

du lait   des céréales   du chocolat   un fruit

Voici deux **petits déjeuners équilibrés** qui permettent d'être en forme toute la matinée.

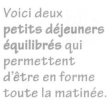

du pain   du miel   un jus de fruit   un yaourt

● Quels petits déjeuners de la page de gauche (1, 2, 3, 4) ne sont pas équilibrés ?

● Dans ton cahier, dessine-les et rajoute ce qui manque.

Je fais le bilan...

● Ton petit déjeuner te permet-il d'être en forme toute la matinée ? Explique ta réponse.

Dans les pays riches comme la France, il y a beaucoup d'adultes et d'enfants obèses. En effet, ces gens boivent trop de boissons sucrées, mangent trop d'aliments gras et sucrés et ne font pas assez d'exercices physiques.

51. Comment être en forme toute la journée ?

Voici des activités effectuées par des enfants :

1

2

3

4

5

6

7

8

9

À toi de chercher...

- Réalise un tri des vignettes 1 à 15 en trois groupes :

Groupe 1	Ce qui est bon pour la santé	😊
Groupe 2	Ce qui est mauvais pour la santé	😞
Groupe 3	Ce que tu n'arrives pas à classer	❓

- Compare avec le tri de tes camarades.
- Avec des adultes, discute de tes choix.

Pour éviter d'attraper certaines maladies (gastro-entérite, grippe...), il suffit de bien se laver les mains, après chaque passage aux toilettes, avant chaque repas, en rentrant chez soi, pendant au moins 30 secondes. Voici comment faire :
– savonner les mains, si possible avec du savon liquide ;
– se frotter les mains pour produire de la mousse
  (**le dos de la main**, **entre les doigts**, **sous les ongles et les poignets**) ;
– se rincer les mains et les sécher avec une serviette propre.

Je fais le bilan...

- En t'aidant des vignettes 1 à 15, raconte ce qu'il faut faire pour être en forme toute la journée.

Je comprends mieux... **p. 128**

52. Quels sont les dangers dans la maison ?

Louna est tombée dans les escaliers. Elle s'est cassée le bras. Il y a beaucoup d'accidents, qui arrivent aux enfants chez eux, dans leur maison. Ce sont des accidents domestiques.

À ton avis...

● Quels sont les accidents qui peuvent arriver dans une maison ? Fais la liste de tes idées et dicte-les à ton maître.

DOC. 1

Un bras cassé.

À toi de chercher...

1 Ces objets sont-ils dangereux ?

● À quoi sert chaque objet ?
● Pourquoi chacun peut-il être dangereux ?
● Explique tes idées à ton maître.

Dans une maison, il y a d'autres pièces que la cuisine.

● Est-ce que ça te fait penser à d'autres dangers ?

DOC. 2   Des objets de la maison.

Tu vas maintenant étudier deux dangers particuliers. Attention, ce ne sont pas les seuls.

2 Peut-on boire n'importe quel liquide ?

- Peux-tu savoir ce que contiennent ces petits pots ?
- Est-il dangereux de boire ces liquides ? Pourquoi ?

- Trouve le contenu exact des récipients du document 3.
- Indique si le produit est dangereux à boire ou non.

En réalité, chaque petit pot contient de l'eau mélangée à un autre produit que l'on voit sur ces photographies.

DOC. 4   DOC. 5   DOC. 6   DOC. 7

DOC. 3 Quatre récipients au contenu inconnu.

DOC. 4 De l'alcool à brûler.   **DOC. 5** Du produit pour les vitres.
DOC. 6 De l'éosine.   **DOC. 7** Du chocolat en poudre.

3 À partir de quelle température risque-t-on de se brûler ?

Réalise l'expérience du document 8.

- Fais d'abord couler de l'eau tiède. Mesure sa température.
- Fais ensuite couler de l'eau chaude. Attention à ne pas te brûler. Mesure sa température.
- Pour récapituler, dessine un thermomètre sur ton cahier.
- Hachure en bleu les températures qui ne sont pas dangereuses et en rouge celles où l'on risque de se brûler. Aide-toi du dessin du bas de page.

Il y a d'autres dangers dans une maison. Va voir, par exemple, les enquêtes 41 et 42.

DOC. 8 Une expérience pour mesurer la température de l'eau chaude.

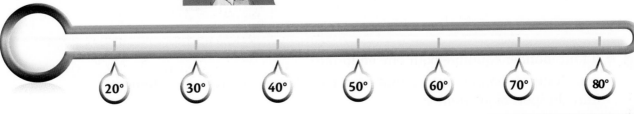

20° 30° 40° 50° 60° 70° 80°

Je comprends mieux... **p. 128**

Je comprends mieux...

J'ai appris que...

Retrouve l'enquête qui traite de chaque sujet.

1 ● Dans le membre inférieur et dans le membre supérieur, il y a des **os allongés**.

● Entre ces os, il y a un espace appelé **articulation** qui permet aux membres de se plier.

● Les os sont des organes qui peuvent se casser. Pour faire certaines activités sportives, comme le vélo, il faut mettre des protections (casque).

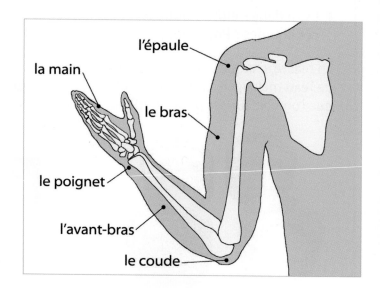

2 ● Les organes des sens permettent de comprendre le monde qui nous entoure. Grâce aux **cinq sens** : la vue, l'ouïe, le toucher, le goût et l'odorat, il est possible de voir, entendre, ressentir des sensations avec tout le corps, sentir le goût des aliments et l'odeur de toute chose.

● Certaines personnes vivent avec un handicap. Au quotidien, des dispositifs sont inventés pour faciliter leur vie, dans la rue, à l'école, dans certains magasins, dans les transports, au travail, etc.

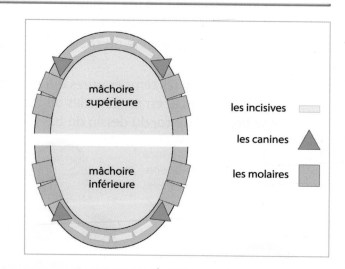

3 ● Il y a trois types de dents : incisives, canines, molaires. Les incisives coupent, les canines arrachent, les molaires écrasent.

● Les dents sont vivantes. Il faut se brosser régulièrement les dents (deux ou trois fois par jour) pour les garder en bon état.

4 ● Il faut manger équilibré pour être en forme.

● Pour rester en bonne santé, il faut aussi bien dormir, se laver correctement, faire du sport régulièrement.

5 De nombreux accidents domestiques surviennent chaque année : brûlures, coupures, empoisonnements, électrocutions.

– Il ne faut pas boire un liquide inconnu : même s'il est transparent, ce n'est pas obligatoirement de l'eau.

– Dans les maisons, l'électricité est fournie sous 220 volts. Toucher un fil électrique sous 220 volts peut être mortel.

J'ai appris à...

6 Comparer le fonctionnement de mon corps avec celui d'une maquette.

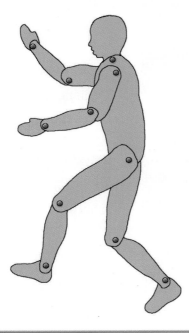

Les segments en carton sont rigides, ils correspondent aux différentes parties des membres : bras, avant-bras, main ; cuisse, jambe, pied.

Les attaches parisiennes permettent les mouvements. Elles représentent les articulations.

Attention, tu peux faire des mouvements qui sont impossibles pour le pantin. Et le pantin peut faire des mouvements qui te sont impossibles.

7 Observer et comprendre un document.

Tu vois différents types de dents : des incisives, des canines et des molaires. Toutes les dents sont déjà « sorties » de la gencive. Ce sont les dents définitives, il n'y a plus de dents de lait. C'est donc la radio d'un adulte.
Certaines dents sont plus blanches : elles ont été soignées par un dentiste car elles étaient abîmées.

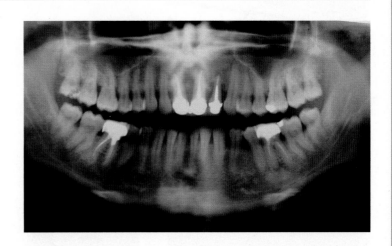

8 Être prudent face aux dangers domestiques.

53. Que se passe-t-il dans la ferme ?

DOC. 1 La Bergerie nationale est à Rambouillet, près de Paris.
Elle a été créée par Louis XVI pour élever le mouton mérinos.

- Situe sur une carte de France, Paris et Rambouillet.
- Écris sur des Post-it les lettres de chaque photographie du document 2.
- Puis écris une légende sur chaque Post-it, en utilisant les mots suivants :

la tonte   le repas en été

l'agnelage ou la naissance d'un agneau

le repas en hiver   labourer

disperser le fumier   semer

moissonner

A

B

C

D

E

F

G

H

DOC. 2 Les activités menées dans la ferme varient au cours des saisons.

À ton avis...

- À quelles périodes de l'année se déroulent ces différentes activités ?

1 C'est l'été, les blés sont mûrs.

2 C'est le printemps, il faut commencer à labourer.

3 C'est l'été, le fumier que les moutons ont produit en hiver dans les étables est dispersé dans les champs.

4 C'est l'automne, il faut semer le blé.

5 C'est le printemps. Il faut tondre les moutons car sinon ils auraient trop chaud en été. La laine est utilisée pour fabriquer des vêtements.

6 C'est l'automne. Les brebis mettent bas ou donnent naissance à un ou deux agneaux qu'elles allaitent.

7 C'est l'été. Les moutons vont manger les ronces et les herbes dans la forêt. Ils nettoient et évitent les incendies.

8 C'est l'hiver. Les moutons restent à l'étable où ils mangent du foin.

- Associe à chaque photographie le texte qui lui correspond.
- Sur les Post-it à côté du titre, écris la saison pendant laquelle se déroule l'activité.
- Trace cette droite dans ton cahier avec les quatre saisons.

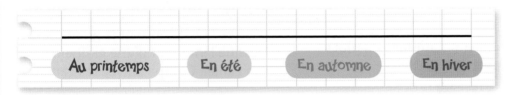

Au printemps   En été   En automne   En hiver

- Colle les Post-it sous cette droite, au bon endroit.
- Explique pourquoi les moutons sont mis à l'étable en hiver.

Certains agriculteurs font de l'élevage de bovins qui donnent la viande que l'on achète chez le boucher.

- Sur la droite des quatre saisons, indique quand les bovins sont au champ et quand ils sont à l'étable.

Voici les produits que tu peux acheter à la Bergerie nationale : poulets, pintades, viande d'agneau, viande de bœuf, lait de vache, saucissons de mérinos, rillettes de poule, vin, miel, foie gras de canard, produits en laine (couvertures, bonnets, pulls, chaussettes, etc.).

- Écris le nom des produits obtenus à partir du mouton mérinos.

Autrefois, les paysans ne travaillaient pas avec les mêmes outils. Consulte l'enquête 30 pour en savoir plus.

Tu peux visiter la Bergerie nationale. Si tu habites trop loin, il y a sûrement une ferme près de chez toi où tu peux aller.

Je fais le bilan...

- Écris deux ou trois événements essentiels dans l'élevage du mouton.

Je comprends mieux... p. 144

54. Comment faire pousser les plantes ?

DOC. 1 Dans un jardin en mars.

DOC. 2 Dans un jardin en juin.

● Décris ce que fait le jardinier en utilisant les mots suivants : terre graines semer plantes récolter

À ton avis...

● Que faut-il faire pour cultiver des plantes ? Que contient la graine ? Dessine l'intérieur d'une graine dans ton cahier. Compare avec tes camarades.

À toi de chercher...

1 Fais tes plantations.

● Mets de la terre dans une jardinière. Sème différentes graines.

● Arrose régulièrement.

● Dessine et écris ce que tu viens de faire.

● Pendant un mois, observe tes plantations.

● Dessine et décris ce que tu vois.

● Compare tes résultats avec ceux de tes camarades.

DOC. 3 Semer dans une jardinière.

N'oublie pas d'indiquer la date de tes observations.

2 Observe les différents moments de la vie d'un haricot.

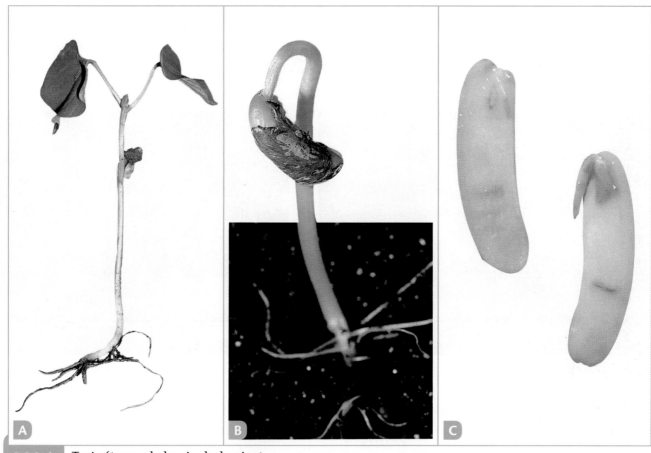

DOC. 4 Trois étapes de la vie du haricot.

- Dessine la plante de la photographie A.
  Écris les légendes suivantes :

  `racines` `tige` `feuille`

- Ouvre des graines de haricot et de petit pois,
  comme sur les photographies C et D.
  Dessine une graine ouverte.
  Complète ton dessin en utilisant les mots :

  `germe ou plante miniature` `petite racine` `petite feuille`

- Compare la graine du petit pois avec celle du haricot.

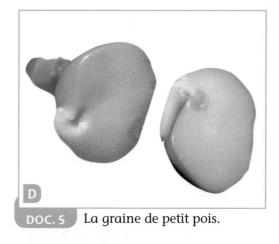

D

DOC. 5 La graine de petit pois.

Je fais le bilan...

- Remets les trois photographies (A, B et C)
  dans le bon ordre.
- Décris ce qui se passe lorsqu'une graine germe.

Les arbres sont
également des plantes
vertes qui naissent
à partir d'une graine.

Je comprends mieux... p. 144

55. Comment obtenir des fruits ?

DOC. 1 Dans un verger en avril.

DOC. 2 Dans un verger en septembre.

● Décris ces deux photographies en utilisant les mots suivants :

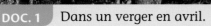

fleurs   *fruits*

poire   *poirier*

À ton avis...

● Que deviennent les fleurs ?
Comment se forment les fruits ?

À toi de chercher...

1 **En mai, récolte des rameaux de poirier.**

● Recherche ce qui est photographié ci-dessous (photographies A, B et C).

A

B

C

DOC. 3 Trois étapes dans la culture de la poire.

● Décris ces photographies sur ton cahier.

● Remets-les dans le bon ordre. Explique comment se forme la poire.

2 Ouvre des fruits.

- Ouvre une poire
  (document 4). Que vois-tu ?
- Fais le même travail avec une tomate
  et une courgette (documents 5 et 6).
  Dessine et écris ce que tu vois.
- La tomate et la courgette sont
  des fruits. Explique pourquoi.

*Attention, tous les fruits
ne sont pas comestibles.
Renseigne-toi avant
de goûter un fruit.*

DOC. 4   Une poire.

DOC. 5   Une tomate.

DOC. 6   Une courgette.

Je fais le bilan...

A   B   C

DOC. 7   Trois étapes dans la culture du petit pois.

- La gousse du petit pois (photographie B) est un fruit. Explique pourquoi.
- Décris les trois photographies (A, B et C) et remets-les dans le bon ordre.
- Fais une ou deux phrases pour expliquer d'où vient le fruit.

Je comprends mieux... **p. 144**

56. Comment les arbres grandissent-ils ?

A

B

C

D

1 Une germination de chêne.
2 Ce jeune chêne de 5 ans a été planté.
3 Un chêne de 30 ans serré contre les autres. Au sol, sous les arbres, pousse la fougère aigle.
4 Un chêne de 200 ans qui vient d'être abattu. Le bois est vendu pour fabriquer des meubles, des tonneaux, etc.

Ces chênes ont été photographiés dans la forêt de Tronçais à 50 km au sud de Bourges.

- Situe Bourges sur une carte.
- Retrouve la légende de chaque photographie.
- Écris sur des Post-it les lettres de chaque photographie puis à côté de chaque lettre, le numéro qui correspond à la photographie.
  Remets ces photographies dans l'ordre chronologique.
- Ajoute un titre pour chacune en utilisant les mots suivants : naissance — jeune chêne de 30 ans — jeune chêne de 5 ans — mort

À ton avis...

- Comment les arbres grandissent-ils ?

Certains arbres peuvent vivre plusieurs centaines d'années. En France, les arbres les plus âgés ont plus de 2 000 ans.

DOC. 1 — Un marronnier en janvier.

DOC. 2 — Un marronnier en avril.

● Décris cet arbre en hiver et au printemps en utilisant les mots suivants :

tronc branches feuilles fleurs tige bourgeons

● D'où viennent les nouvelles branches, les feuilles et les fleurs ?
Compare tes idées avec celles de tes camarades.

DOC. 3 — Une tige avec trois bourgeons, en hiver.

DOC. 4 — Le même rameau au printemps.

DOC. 5 — Le même rameau au printemps, quelques jours plus tard.

● Décalque la tige du document 5. Colorie en vert ce qui vient d'apparaître au printemps. Colorie en marron ce qui était déjà là en hiver.

● Ajoute les légendes suivantes :

jeune tige   jeunes feuilles   tige âgée d'un an

À la fin de l'hiver, coupe un rameau de marronnier. Place-le dans une bouteille remplie d'eau. Observe-le régulièrement et dessine ce que tu vois.

Je fais le bilan...

● Écris une phrase pour dire d'où viennent les feuilles et les fleurs qui apparaissent au printemps.

Je comprends mieux... p. 144

57. Comment élever des escargots ?

DOC. 1 Le temps est humide et chaud ; cet escargot est actif : il se déplace et mange.

Peau protégeant l'escargot pendant son sommeil.

DOC. 2 Le temps est très sec et froid : cet escargot dort.

- Sur ton cahier, décris les deux escargots.
- Écris les différences que tu vois entre les deux lieux.

À ton avis...

- De quoi les escargots ont-ils besoin pour être actifs ?
- Dans ton cahier, fais la liste de ces besoins. Compare avec tes camarades.

Pour réveiller un escargot, fais couler de l'eau tiède sur sa coquille.

À toi de chercher...

1 Que mange l'escargot ?

- Comme sur le document 3, ne donne que de la salade à manger à tes escargots.
- Écris sur ton cahier si l'escargot en a mangé ou non.

DOC. 3 Pour élever des escargots.

- Refais des expériences en donnant à l'escargot d'autres aliments.
- Écris sur ton cahier tes résultats.

Attention, ne donne qu'un aliment à chaque expérience.

2 Où pond l'escargot ?

DOC. 4 L'escargot pond des œufs.

- Observe le document 4.
- Écris sur ton cahier où pond cet escargot en utilisant les mots suivants :

terre   escargot   œufs   humide

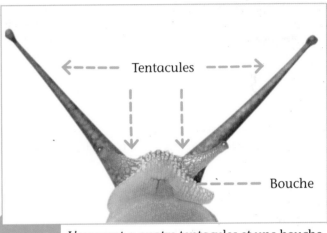

Tentacules

Bouche

DOC. 5 L'escargot a quatre tentacules et une bouche munie d'une langue râpeuse qui broie les aliments.

Je fais le bilan...

DOC. 6 La cendre protège la salade.

- Compare tes observations avec celles de tes camarades.
- Écris sur ton cahier ce qui a été retenu pour bien accueillir des escargots dans la classe.

Les escargots n'arrivent pas à ramper sur de la cendre. Les jardiniers écologistes protègent ainsi leurs salades.

58. Comment naissent et grandissent les animaux ?

● Que fait cette poule ?

À ton avis...

● Que vont devenir les œufs ?

● Tous les animaux naissent-ils à partir d'un œuf ?

DOC. 1

La couvaison.

À toi de chercher...

1 Dans la basse-cour, voici ce que l'on peut voir :

DOC. 2 Le coq, la poule et ses poussins.

● Décris ces photographies.

● Compare la poule et le coq. Utilise les mots suivants : crête plumes pattes

● Comment naît le poussin ?

● Cite d'autres animaux qui naissent de la même façon.

Sans coq dans la basse-cour, les œufs pondus par la poule ne donneront jamais de poussins. Pour obtenir des poussins, il faut que le coq et la poule s'accouplent.

2 Dans les prés, voici ce que l'on peut voir :

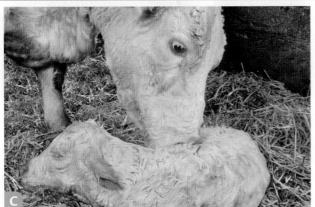

- Décris ces photographies.
- Comment naît le veau ?
- Cite d'autres animaux qui naissent de la même façon.
- Compare la vache et le taureau.

DOC. 3 Le taureau, la vache et le veau.

Je fais le bilan...

DOC. 4 Des animaux de la ferme.

- Décris ces photographies en utilisant les mots suivants : brebis · agneau · truie · porcelets · oie · oisons

- Comment naissent ces animaux ? Regroupe-les en deux ensembles.

Je comprends mieux... p. 144

59. Comment se nourrissent les animaux ?

A   B   C

DOC. 1   Des animaux rencontrés à la ferme.

À ton avis...

- Comment le chat peut-il tuer une souris ?
- Tous les animaux ont-ils les mêmes dents ?

● Dis ou écris ce que mangent ces animaux en utilisant les mots : herbe souris viande graines vers carnivore omnivore végétarien

Cherche dans un dictionnaire les mots que tu ne connais pas.

À toi de chercher...

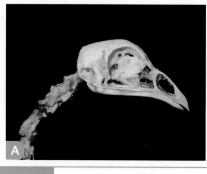

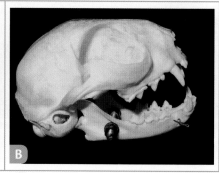

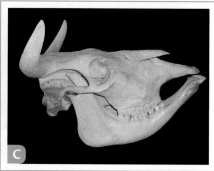

A   B   C

DOC. 2   Les crânes du chat, de la vache et de la poule.

- Écris dans ton cahier la lettre des crânes puis le nom de chaque animal.
- Explique comment tu as reconnu ces crânes.

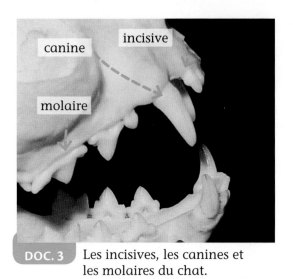

DOC. 3 Les incisives, les canines et les molaires du chat.

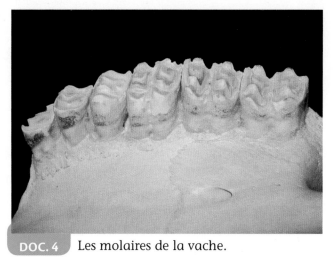

DOC. 4 Les molaires de la vache.

- Dessine une canine de chat. Mets les légendes suivantes : *os de la mâchoire, dent.*
- À quel outil ressemblent les canines du chat ?

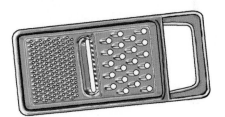  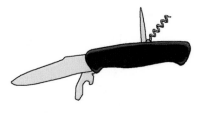

- Recopie ce tableau. Complète-le en dessinant les dents.

	Nourriture	Dessin des incisives	Dessin des canines	Dessin des molaires
Le chat				
La vache			*Pas de canines*	

- À quel outil ressemblent les molaires de la vache ?

La poule mange des petits cailloux. Ils lui permettent d'écraser les graines dans son gésier (estomac).

Je fais le bilan...

- Recopie ces deux phrases et complète-les en utilisant les bons mots.
  – Le chat est un animal …

  végétarien · omnivore · carnivore

  – Il tue sa proie à l'aide de ses …

  incisives · canines · molaires

- Fais deux autres phrases pour la vache.

Demande au boucher de te montrer l'intérieur d'un gésier de poulet. Tu verras des petits cailloux au milieu des aliments broyés.

Je comprends mieux… p. 144

Je comprends mieux...

J'ai appris que...

1 **Une graine en germant donne une plante.**

La graine contient un germe, l'ébauche d'une plante.
Une plante a des racines, des tiges et des feuilles.

2 **Un fruit contient une ou plusieurs graines. Tous les fruits ne se mangent pas.**

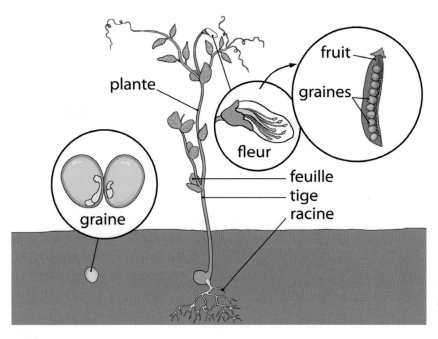

Quelques étapes
de la vie du petit pois.

3 **L'arbre est un être vivant qui naît à partir d'une graine, grandit et finit par mourir.**

Au printemps, les bourgeons s'ouvrent et
de jeunes tiges apparaissent, grandissent
et portent des feuilles et des fleurs.

En hiver

Au printemps

4 **Certains animaux, comme les oiseaux, naissent à partir d'un œuf. Ce sont des ovipares.**

D'autres comme les mammifères naissent en sortant du ventre de la femelle. Ce sont des vivipares.

Les escargots sont également des ovipares.

5 Les animaux se nourrissent pour vivre. Les carnivores mangent des animaux, les végétariens mangent des végétaux, les omnivores mangent à la fois des animaux et des végétaux.

La forme des dents dépend du régime alimentaire.

J'ai appris à...

6 Faire un dessin.

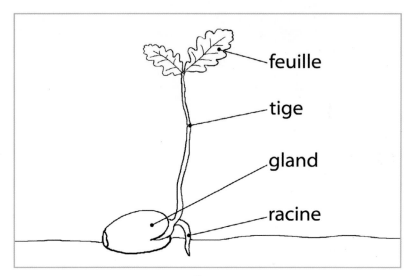

La germination du chêne.

Pour faire un dessin :
• dessine l'objet le plus grand possible ;
• utilise un crayon de papier ;
• écris des légendes et un titre ;
• relie les légendes au dessin avec des traits tirés à la règle.

7 Lire et écrire un tableau.

Il ou elle	La vache	Le chêne	Un caillou
Se déplace	oui	Le gland peut être déplacé	non
Naît et grandit			non
Meurt	oui		non
Se reproduit			non
Se nourrit		oui	non

● Recopie ce tableau et complète-le.

● Explique pourquoi le chêne et la vache sont des organismes vivants.

60. Comment reconnaître un arbre ?

A

fruit   fleurs   feuille

B

feuille   fruit

DOC. 1   Deux arbres différents.

À ton avis...

- Quel est le nom de ces arbres ?
  Quels détails faut-il observer pour les reconnaître ?

À toi de chercher...

- Comment reconnaître un arbre à l'aide des feuilles ?

le charme

le châtaignier

le platane

le chêne   l'érable   le frêne

DOC. 2   Connaître le nom d'un arbre en observant ses feuilles.

- Sur ton cahier, décris les feuilles du document 2 avec des mots ou des dessins. Compare avec tes camarades.
- Essaie de regrouper ces feuilles.

Je fais le bilan...

- Cherche le nom des deux arbres de la p. 146 à l'aide du document 2.
- À quoi l'homme utilise-t-il ces deux arbres ?

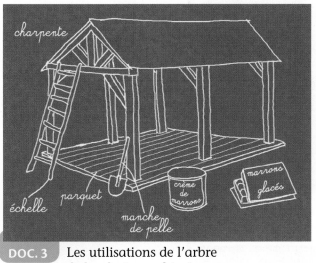

charpente
échelle
parquet
manche de pelle
crème de marrons
marrons glacés

DOC. 3 Les utilisations de l'arbre de la photographie A.

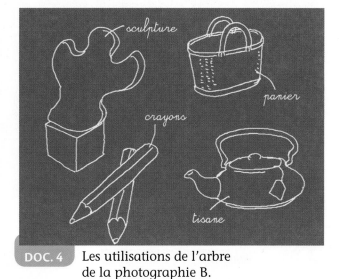

sculpture
crayons
panier
tisane

DOC. 4 Les utilisations de l'arbre de la photographie B.

- Observe un arbre dans la cour ou dans la nature.
- Cherche le nom de cet arbre à l'aide du document 2.
- Quelles utilisations l'homme fait-il du bois de ces arbres ?

le hêtre

l'orme

le tilleul

le marronnier

le bouleau

l'épicéa

61. Qui vit là ?

DOC. 4 Une chouette hulotte dont la longueur est de 40 cm et le poids de 500 g.

DOC. 1 Une forêt de chênes et de hêtres.

DOC. 5 Une coccinelle dont la taille est de 1 cm.

DOC. 2 Un chevreuil dont la taille est de 1 m et le poids de 20 kg.

DOC. 3 Un renard dont la taille est de 80 cm et le poids de 8 kg.

DOC. 6 Un papillon dont la taille est de 2 cm. Ce qu'il a : une bouche munie d'une trompe, des yeux, 6 pattes et 2 antennes.

À ton avis...

Comment peux-tu regrouper ces animaux ?

J'ai une bouche, des yeux, une carapace, 6 pattes, 2 antennes. J'ai des ailes et points noirs sur le dos.
Pour faire des petits, je m'accouple puis je ponds des œufs.

A

J'ai une bouche et des yeux, 4 pattes, des poils. J'ai des mamelles car je suis une femelle. Seul le mâle a des bois. Je marche sur des sabots.

B

J'ai une bouche et des yeux, un bec, 2 pattes et 2 ailes. Je vole, je ponds des œufs d'où sortent des petits.

C

J'ai une bouche, des yeux, 4 pattes, des poils. J'ai des mamelles car je suis une femelle. J'ai 42 dents dont 4 crocs pointus.

D

- Trouve le nom de l'animal qui correspond à chaque description.
  Écris sur un Post-it le nom de l'animal et la lettre qui correspond à sa description.
- Écris un texte pour décrire le papillon.
- À l'aide des Post-it, mets ensemble les animaux qui se ressemblent.
- Nomme ces regroupements ou ensembles en utilisant les mots suivants :

  mammifère   oiseau   insecte

- Recherche des informations sur les animaux suivants : le manchot empereur, la baleine bleue, le dytique. Place chaque animal dans le bon ensemble.

Dans la forêt, tu peux capturer facilement de petits animaux : repère un tronc d'arbre bien pourri, soulève l'écorce. Ramène ce que tu as récolté en classe pour les observer : le bois et les animaux.

La chauve-souris est un animal curieux : elle vole, elle a des poils et les mères allaitent leurs petits.

DOC. 7 Une chauve-souris en vol.

Je fais le bilan...

- Explique pourquoi la chauve-souris est un mammifère.

62. Qui mange qui ?

A Un campagnol.

B Une chouette effraie avec un campagnol dans le bec.

DOC. 1 Une forêt de chênes et de hêtres.

C Un lapin qui mange.

À ton avis...

- Que mange le lapin ? Qui peut le manger ?
- Que mange la chouette ?
- Que se passerait-il si la chouette disparaissait ?

D Un renard avec un lapin dans la gueule.

> Je suis un **oiseau**. Je mange des petits mammifères, surtout des campagnols.
> **1**

> Je suis un **mammifère**. Je mange des mammifères comme les lapins, les campagnols.
> **2**

> Je suis un petit **mammifère**. Je mange des graines, des fruits comme le gland qui est le fruit du chêne.
> **3**

> Je suis un **mammifère**. Je mange de l'herbe, des jeunes plantes.
> **4**

● Trouve le nom de l'animal qui correspond à chaque description.

● Écris sur ton cahier le nom de l'animal puis à côté le numéro qui correspond à son régime alimentaire (ce qu'il mange).

● Écris sur ton cahier quels sont les animaux **végétariens (ceux qui mangent des végétaux)** et ceux qui sont **carnivores (qui mangent d'autres animaux)**.

Voici une chaîne alimentaire.

Herbe

Renard

Lapin

● Recopie sur ton cahier et complète la phrase suivante :
L'herbe est … par le lapin.

● Écris une phrase pour dire qui mange le lapin.

● Écris une nouvelle chaîne alimentaire avec les végétaux et animaux suivants : gland, campagnol, chouette.

● La chouette mange en moyenne 5 campagnols par jour, soit environ 150 par mois, soit 1 800 par an. Les campagnols mangent les plantes cultivées par l'homme comme le blé, le maïs. Explique pourquoi il faut protéger les chouettes.

Les chevreuils n'ont plus de prédateurs (des animaux qui les mangent). Ils causent des dégâts aux cultures. Les chasseurs organisent des battues (une chasse) pour limiter leur nombre.

Une chaîne alimentaire est une chaîne constituée de différents maillons qui sont rattachés les uns aux autres. Les maillons sont des végétaux ou des animaux, par exemple : l'herbe, le lapin, le renard.

● Écris une chaîne alimentaire avec les végétaux et les animaux suivants : herbe, chevreuil, loup.

● Que se passe-t-il quand le loup disparaît ?

● ● ● ▶ Je comprends mieux... **p. 158**

63. Pourquoi doit-on faire attention à l'eau ?

À ton avis...

Que font les hommes avec l'eau ?

- Trouve le plus d'idées possibles en discutant avec tes camarades.

À toi de chercher...

1 À quoi sert l'eau ?

- Complète tes idées en t'aidant du document 1.

DOC. 1 De l'eau pour différents usages.

- À quoi sert l'eau dans chacune de ces photographies ?
- Écris les mots suivants dans ton cahier.

> L'eau est la seule boisson indispensable pour vivre. C'est aussi la meilleure pour la santé. Va voir l'enquête 51.

s'amuser   laver, se laver   fabriquer

boire, manger   transporter   autre chose

- En face de chaque mot, écris la lettre de la photographie qui y est associée.

2 Où y a-t-il de l'eau sur Terre ?

● Observe cette carte. Écris sur ton cahier le nom de plusieurs endroits où il y a de l'eau.

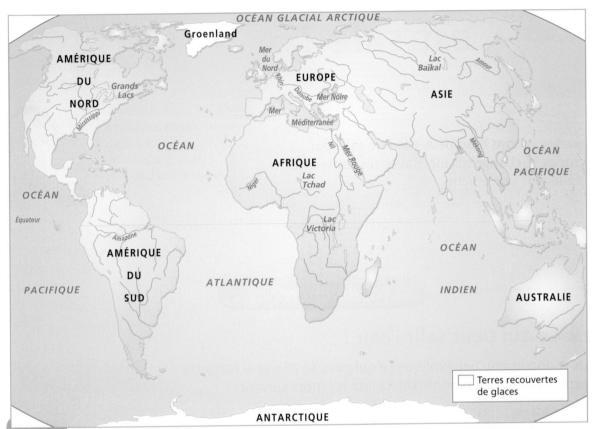

OCÉAN GLACIAL ARCTIQUE

Groenland

AMÉRIQUE DU NORD

Grands Lacs

Mississippi

Mer du Nord

EUROPE

Rhin

Danube Mer Noire

Mer Méditerranée

Lac Baïkal

Amour

ASIE

OCÉAN

AFRIQUE

Niger

Lac Tchad

Nil

Mer Rouge

Mekong

OCÉAN PACIFIQUE

Équateur

Amazone

AMÉRIQUE DU SUD

PACIFIQUE

ATLANTIQUE

Lac Victoria

OCÉAN INDIEN

AUSTRALIE

Terres recouvertes de glaces

ANTARCTIQUE

DOC. 2 Un planisphère montrant où il y a de l'eau sur Terre.

● Laisse un glaçon une heure sur une assiette (document 3). Explique ce qu'il devient. Pour t'aider, va voir l'enquête 34.

● Y a-t-il de l'eau au Groenland et en Antarctique ? Sous quelle forme ?

DOC. 3 La fusion d'un glaçon.

3 L'eau de mer peut-elle convenir ?

Beaucoup d'animaux et de végétaux vivent dans la mer. Mais l'eau salée est-elle utilisable par les hommes ?

● Un jour où tu as très soif, essaie de boire de l'eau salée. As-tu encore soif après ?

● Prépare plusieurs petits pots contenant une plante (document 4). Réalise une expérience pour savoir ce qui se passe si on les arrose avec de l'eau salée.

DOC. 4 Un plant de salade.

Je fais le bilan...

● Y a-t-il beaucoup d'eau sur Terre ?

● Y a-t-il beaucoup d'eau utilisable ?

● ● ▶ Je comprends mieux... p. 158

64. Que faire lorsque l'eau est sale ?

À ton avis...

● Pour quelles raisons l'eau peut-elle être salie par les hommes ? Échange tes idées avec tes camarades et notez-les sur une affiche.

Pense à tout ce qui se passe dans une maison ou un appartement.

À toi de chercher...

1 Qu'est-ce qui peut salir l'eau ?

● Décris le document 1 et explique ce qui peut se passer si l'on jette des produits dangereux sur le sol. Utilise les mots suivants :

sol   source   ruisseau   pluie

DOC. 1 Des produits chimiques sont répandus sur le sol.

De l'herbe, de la terre, des graviers pour faire le sol.

Un trou pour faire une source.

DOC. 2 Une expérience pour comprendre ce qui se passe dans le sol.

● Pour comprendre ce qui se passe dans le sol, réalise l'expérience du document 2.
1. Verse de l'encre sur l'herbe.
2. Arrose avec de l'eau.
3. Vois-tu de l'encre s'écouler par le trou ?

● Explique pourquoi il ne faut pas jeter des produits dangereux sur le sol.

2 Est-il facile de nettoyer l'eau ?

● Prépare des bocaux comme sur les photographies.

DOC. 3 De l'eau et des graviers.   **DOC. 4** De l'eau et de la terre.   **DOC. 5** De l'eau et de l'encre.

● Fais une phrase pour décrire l'eau dans chacun de ces bocaux.
Utilise les mots suivants : trouble   claire   colorée

À ton avis...

○ **Comment ferais-tu pour enlever ce que tu as mélangé à l'eau ?**

Sois prudent : l'eau claire n'est pas forcément potable ! Va voir l'enquête 52.

● Écris tes idées dans ton cahier. Aide-toi des documents 6, 7 et 8.
● Teste tes idées sur chaque bocal.

DOC. 6 Une cuillère.   **DOC. 7** Un filtre.   **DOC. 8** Une passoire.

● Est-il facile d'enlever ce qui est mélangé à l'eau ?

En France, l'eau qui arrive à nos robinets est nettoyée par des usines. Elle peut être bue sans danger : c'est de l'eau potable.
Dans certains pays, des gens sont malades parce qu'ils boivent de l'eau non potable.

●●● ▶ Je comprends mieux... p. 158

Ils jouent avec la **nature**

Voici des jardins d'agrément.
En as-tu déjà visités ?

DOC. 2 Un jardin des senteurs pour respirer les parfums.

DOC. 3 Un labyrinthe pour jouer à se perdre et à se retrouver.

DOC. 1 Un jardin botanique pour découvrir les plantes.

DOC. 4 Un jardin des contes pour nous surprendre.

Il y a 3 000 ans, les Perses ont inventé les premiers parcs. Ils appelaient ces jardins « pairidaeza ». C'est de là que vient notre mot « paradis » !

Cours-y vite !

Il existe d'autres sortes de jardins.

- Trouve des **jardins utilitaires** dans ton manuel. Ont-ils la même fonction que ceux de cette page ?
- Y a-t-il des jardins près de chez toi ? Qu'y fais-tu ?

Il y avait un jardin

C'est une chanson pour les enfants
Qui naissent et qui vivent entre l'acier
Et le bitume, entre le béton et l'asphalte
Et qui ne sauront peut-être jamais
Que la Terre était un jardin.

[...]

Il y avait un jardin qu'on appelait la Terre
Il était assez grand pour des milliers d'enfants
Il était habité jadis par nos grands-pères
Qui le tenaient eux-mêmes de leurs
grands-parents.

Où est-il ce jardin où nous aurions pu naître
Où nous aurions pu vivre insouciants et nus
Où est cette maison toutes portes ouvertes
Que je cherche encore et que je ne trouve plus.

DOC. 5 Georges Moustaki, 1970,
extrait de l'album « *Le Métèque* ».

En 1970, l'auteur-compositeur Georges Moustaki lance un **cri d'alarme** en écrivant cette chanson.

- Quand Moustaki a-t-il écrit cette chanson ?
- Pour qui l'a-t-il écrite ?
- Pourquoi parle-t-il des jardins au passé ?
- De quoi a-t-il peur ? A-t-il de bonnes raisons ?
- Observe le document 6. Nous permet-il d'espérer ? Explique-toi.

DOC. 6 Au début du XXIe siècle, un jardin de ville vertical : le mur végétal du musée du quai Branly, à Paris.

Longtemps, les hommes ont jardiné, non seulement pour leurs besoins (se nourrir, se soigner, teindre les tissus, etc.) mais aussi pour leurs plaisirs (jouer, rêver, parader, se promener, respirer...).

Longtemps, ils ont cru qu'ils pouvaient dominer la nature. À présent, beaucoup de personnes vivent en ville, loin d'elle. Elles comprennent qu'elles doivent la protéger pour se préserver.

Chacun d'entre nous peut agir pour que la Terre reste un jardin.

- De quelle(s) manière(s) ?
- Échange tes idées avec tes camarades.

Je comprends mieux...

J'ai appris que...

1 **Il existe différentes espèces d'arbres : le châtaignier, le tilleul, le chêne, etc.**

L'arbre fournit du bois, un matériau essentiel pour construire des maisons, fabriquer des outils.

Feuilles du châtaignier

Feuilles du tilleul

2 **De nombreux animaux vivent dans la forêt.**

Ils sont classés à partir de ce qu'ils ont. Les **mammifères** sont des vertébrés avec des poils et des mamelles ; les **oiseaux** sont des vertébrés à plumes ; les **insectes** ont six pattes et deux antennes.

Des oiseaux

Des mammifères

Des insectes

3 **Les animaux se nourrissent. Les végétariens mangent des végétaux, les carnivores mangent des animaux. Si les carnivores disparaissent, les végétariens peuvent se multiplier, ce qui peut créer des déséquilibres.**

Une **chaîne alimentaire** indique qui mange qui.

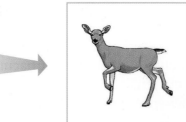

Herbe

Chevreuil

Loup